DIE GOTTESMUTTER BEI DEN VÄTERN

25. Beiheft zu den
STUDIA PATRISTICA ET LITURGICA

herausgegeben vom
Liturgiewissenschaftlichen Institut Regensburg
in Verbindung mit dem Zentrum patristischer Spiritualität
KOINONIA ORIENS
im Erzbistum Köln
und der Vereinigung SYNAXIS e. V.

Im Auftrag des koptischen St. Antonius-Klosters in Kröffelbach

TADROS Y. MALATY

DIE GOTTESMUTTER BEI DEN VÄTERN

und in der Koptischen Kirche

nach der englischen Fassung herausgegeben von

+ KLAUS GAMBER

KOMMISSIONSVERLAG FRIEDRICH PUSTET
REGENSBURG

Übersetzung aus dem Englischen von Marianne Hermann.
Titel des Originals »St. Mary in the Orthodox Concept«.

Gesamtherstellung Friedrich Pustet
Printed in Germany
ISBN 3-7917-1235-7

Vorwort des Herausgebers

Dem Wunsch des Hochwürdigsten Herrn Erzabtes Michael vom Koptisch-Orthodoxen St. Antoniuskloster in Kröffelbach (Taunus), das vorliegende Buch des koptischen Erzpriesters Tadros Y. Malaty über die Gottesmutter als Beiheft zu den »Studia patristica et liturgica« in deutscher Übersetzung herauszubringen, bin ich gern nachgekommen; nicht zuletzt deshalb, weil es eine willkommene Ergänzung zum 15. Beiheft »Aufgenommen ist Maria in den Himmel« und zum 19. Beiheft »Maria – Ecclesia« darstellt.

Während in letzterem der Gedanke: Maria in ihrem Verhältnis zur Kirche im Vordergrund steht, ist der Rahmen dieser Studie weiter gespannt. Der Verfasser zeigt in einem ersten Teil anhand zahlreicher Väter-Zitate die Stellung Mariens in der Heilsgeschichte auf und gibt uns in einem zweiten Teil einen Einblick in die Verehrung der Gottesmutter in seiner, der koptischen Kirche Ägyptens. In einem Anhang wird von den jüngsten Marienerscheinungen in Kairo berichtet.

Die Marienverehrung hat – dies wird oft übersehen – in der Kirche Ägyptens schon früh, jedenfalls weit früher als im Abendland, eine ausgeprägte Form erhalten. So findet sich hier ein Gebet zur »Theotokos« (Gottesgebärerin) bereits auf einem kleinen Papyrus-Zettel, der einem Toten um das Jahr 300 mit ins Grab gegeben wurde. Es lautet:

»Unter den Schutz deiner vielfachen Barmherzigkeit, fliehen wir, Gottesgebärerin. Verachte nicht unsere Bitten, wenn wir in Not sind, sondern errette uns aus allen Gefahren, du allein Gebenedeite.«

Auch das Ave-Maria dürfte in Ägypten entstanden sein. Es lautet in seiner ältesten Fassung:

»Sei gegrüßt, Maria, du Gnadenvolle, der Herr ist mit dir. Du bist gebenedeit unter den Frauen und gebenedeit ist die Frucht deines Leibes. Denn du hast Christus empfangen, den Sohn Gottes, den Erlöser unserer Seelen.«[1]

Meine Aufgabe als Herausgeber war es vor allem, das Manuskript nach der deutschen Übersetzung von Frau Marianne Hermann in formaler Hinsicht zu überarbeiten, damit es in den Rahmen unserer Beihefte paßt; doch es war mir nicht möglich, alle Väterstellen nachzuprüfen.

Ich hoffe, daß dieses mit großer Liebe zur heiligen Jungfrau Maria geschriebene Bändchen, dem einige Abbildungen koptischer Ikonen beigegeben werden konnten, eine gute Aufnahme findet, zumal es dem deutschen Leser zugleich einen Einblick in die Geistigkeit der koptischen Kirche vermittelt, wenn diese auch dem deutschen Leser vielleicht manchmal fremd ist. Dennoch wird die Schrift demjenigen Leser Gewinn bringen, der bereit ist, sich darauf einzulassen, da ihm hier ein christliches Zeugnis begegnet, das noch aus den Quellen des frühen Christentums schöpft.

Die Kirche Ägyptens hat, wie man weiß, ähnlich wie andere Kirchen im Nahen Osten, so die syrische, armenische und maronitische, gegenwärtig unter dem neuen Selbstverständnis des Islam viel zu leiden.

Mariä Verkündigung 1989 + Klaus Gamber

Vorwort von H. H. Erzabt Michael

Das Koptisch-Orthodoxe Zentrum mit St. Antonius Kloster in der Bundesrepublik Deutschland freut sich, Ihnen eine kleine Studie über die heilige Jungfrau Maria vorstellen zu können.

Von der heiligen Jungfrau Maria sagten die Kirchenväter auf dem 3. Ökumenischen Konzil in Ephesus im Jahre 431 n. Chr.: »Wir rühmen dich, du Mutter des wahren Lichts; wir verherrlichen dich, heilige Jungfrau, Mutter Gottes, denn du gebarst uns den Erlöser der Welt. Er kam und befreite unsere Seelen, Verherrlichung sei dir, unser Herr und König, Christus, du Ruhm der Apostel, du Krone der Märtyrer, du Jubel der Gerechten, du Stärke der Gemeinden, du Vergeber der Sünden.

Wir verkündigen die Heilige Dreifaltigkeit, den einen Gott:
Wir huldigen ihm; wir verherrlichen ihn,
Herr, erbarme dich, Herr, erbarme dich, Herr, segne uns, Amen.«

Möge Gott jedem Mitarbeiter an diesem Buch seine Mühe vergelten.

Möge jeder, der dieses Buch liest, Gottes Segen bekommen durch die Fürbitte der Heiligen Jungfrau Maria und durch die Gebete des Papstes von Alexandrien, Seiner Heiligkeit Schenouda III.

Ehre sei Gott in Ewigkeit, Amen.

St. Antonius Kloster
Kröffelbach (Taunus)

Mariä Himmelfahrt
(August 1988)

Abb. 1. Seine Heiligkeit Papst Schenouda III., Patriarch von Alexandrien.

Inhalt

Vorwort des Herausgebers 5
Vorwort von H. H. Erzabt Michael 7
Vorwort des Verfassers 11

1. Die Jungfräulichkeit Mariens 13
Das Zeugnis der Heiligen Schrift
Jungfräulichkeit und Christologie
Jungfräulichkeit und unsere Erlösung
Jungfrauengeburt und geistige Geburt
Die Jungfräulichkeit Mariens und die geistige Jungfräulichkeit
Die immerwährende Jungfrau
Mariens Gelübde der Jungfräulichkeit

2. Die Gottesmutterschaft Mariens 24
Die Mutterschaft Mariens in der Bibel
Die Mutterschaft Mariens in der frühen Kirche
Die Mutterschaft Mariens und die Inkarnation
Seelische Mutterschaft

3. Maria – die neue Eva 33

4. Maria – voll der Gnade 37
Das Geheimnis der Freude
Das Heiligsein Mariens
Maria und die Sünde
Maria und die Erbsünde

5. Maria – unsere Mittlerin 42
Der Begriff Fürsprache
Das Geheimnis ihrer Fürsprache
Grenzen ihrer Fürbitte

6. Maria – Vorbild der Jungfrauen 45

7. Maria und die Kirche 47
Maria als Typus der Kirche
Die Analogie zwischen Maria und der Kirche

8. Maria in den koptischen Hymnen 50
Maria in den täglichen Hymnen
Maria in den Hymnen vor Weihnachten
Symbole Mariens in den koptischen Hymnen

9. Maria im koptischen Gottesdienst 57

10. Maria in den Festtagsgesängen 62

11. Maria im Stundengebet 66

12. Marienfeste in der koptischen Kirche 68

Anhang: Die Marienerscheinung in Zeitoun (Kairo) 71
Bekanntmachung des koptisch-orthodoxen Patriarchats
Wunderbare Heilungen während der Marienerscheinungen
Die Erscheinung der Heiligen Jungfrau Maria in Kairo-Shoubra

Anmerkungen 80

Wecke, meine Harfe, deine Saiten
zum Lob der Jungfrau Maria!
Erhebe deine Stimme und singe
die wundersame Geschichte der Jungfrau,
der Tochter Davids,
die dem Leben der Welt das Leben gab!

(Ephräm der Syrer)

Wir, die Kopten, wurden durch den Besuch der Heiligen Familie in unserem Land ausgezeichnet. Unsere Liebe zum Erlöser Jesus Christus und zu seiner Mutter ist in unseren Herzen tief verwurzelt und zeigt sich in unserem täglichen Leben.

Wir lieben Maria, die Jungfrau und Gottesmutter, durch die wir die Natur ihres Sohnes als das fleischgewordene Wort Gottes entdecken; ihr Leben spricht von Gottes Erlösungstat und beschreibt die Rolle des Menschen bei der Erlangung des himmlischen Lebens durch die göttliche Gnade.

Die heilige Maria ist unsere Schwester, die zum Typus der Kirche wurde und eine universale Mutterschaft zum Menschen bekam. Sie liebt die ganze Welt und sehnt sich nach der vollkommenen Erlösung jedes Menschen.

Das ist die Gesinnung, in der ich diese Abhandlung mit dem Beistand des Heiligen Geistes, unterstützt durch die Hl. Schrift, die Gedanken der Väter und unsere kirchlichen Liturgien schreiben möchte.

TADROS Y. MALATY
Erzpriester der koptisch-orthodoxen Kirche

Abb. 2. Koptische Marien-Ikone in der »hängenden Kirche« von Alt-Kairo.

1.

Die Jungfräulichkeit Mariens

»In Wahrheit, Aarons Stab ist Maria. Er ist ein Bild ihrer Jungfräulichkeit. Sie empfing und gebar den Sohn des Allerhöchsten, den Logos, ohne den Samen eines Mannes«

(Theotokia[2] vom Sonntag)

1. Das Zeugnis der Heiligen Schrift. Die Jungfräulichkeit Mariens ist keine Angelegenheit ihres Privatlebens, sondern eine biblische Realität, die zu unserem Glauben an Jesus Christus gehört. Denn als der Logos (das Wort) Gottes Fleisch wurde, war er nicht wählerisch bei der Art des Ortes, wo er geboren werden sollte, oder bei den Kleidern, die er trug, oder bei der Speise, die er essen würde; doch er war sehr wählerisch bei der Jungfrau, die seine Mutter werden sollte.[3]

Der Prophet Isaias gibt uns ein prophetisches Zeichen der jungfräulichen Geburt: »Höret, die Jungfrau wird empfangen und einen Sohn gebären; sein Name soll Emmanuel sein« (7,14). Dieser Text weist deutlich auf Maria, die jungfräuliche Mutter hin. Es ist ganz zutreffend, ihren Stand als Jungfrau und zugleich als verlobt zu beschreiben; denn der hebräische Ausdruck für Jungfrau ist »almah« und nicht »betulah« oder »issa«. Das Wort »almah« meint ein jungfräuliches Mädchen, das verlobt sein kann, während »betulah« eine nicht verlobte Jungfrau bezeichnet. Das Wort »issa« meint eine verheiratete Frau.

Wenn die Schrift das Wort »issa« benützt hätte, würde damit nicht ein von Gott gewirktes Wunder beschrieben werden; denn eine verheiratete Frau kann ja einen Sohn empfangen und gebären. Würde das Wort »betulah« (nicht-verlobte Jungfrau) gebraucht, beschriebe dies nicht den Status Mariens, da sie ja mit Joseph verlobt war, der sie beschützt hat, ein treuer Wächter ihrer Reinheit wurde und Zweifel und Verdächtigung ausschloß.

Es ist bemerkenswert, daß das Wort »almah« von der Wortbedeutung her in diesem Satz gesagt wird, um die Fortdauer des Zustands der Jungfräulichkeit auszudrücken. Aus diesem Grund wurde es mit »die Jungfrau« (ἡ παρθένος) und nicht »eine Jungfrau« wiedergegeben, um die Mutter des Emmanuel auch nach der Geburt ihres Kindes als Jungfrau zu bezeichnen.

Ein anderer Prophet, Ezechiel, weist auf die ewige Jungfräulichkeit Mariens hin, wenn er sagt: »Als er (der Engel) mich zum äußeren Heiligtum, das nach Osten schaut, zurückbrachte, war dieses verschlossen. Da sagte der Herr zu mir: Dieses Tor soll verschlossen sein, es soll niemals geöffnet werden. Kein Mann soll es durchschreiten, weil der Herr, der Gott Israels, durch dieses eintrat; deshalb soll es verschlossen bleiben. Es ist für den Fürsten; der Fürst selbst soll in ihm sein« (Ez 44,1–3).

Das versiegelte Osttor ist ein Sinnbild für die andauernde Jungfräulichkeit der Gottesmutter.[4] Nur der Herr betrat ihren Schoß; dieses Tor öffnete sich keinem anderen und seine Siegel wurden nicht geöffnet.

Unter diesem Eindruck singt die koptische Kirche den folgenden Hymnus:

»Ezechiel bezeugte es und sagte uns: Ich habe ein Osttor gesehen. Der Herr, der Erlöser, trat durch es ein, und es blieb verschlossen wie zuvor.«[5]

Einer der Beinamen, die Maria im byzantinischen Ritus hat, ist daher: »Sei gegrüßt, du einzigartiges Tor, durch das nur der Logos ging!«[6]

2. *Jungfräulichkeit und Christologie.* Die jungfräuliche Geburt, die einmal geschah und nie wiederholt wird, ist ein Beweis für unseren Glauben an Jesus Christus, daß er nämlich nicht von dieser Welt ist, sondern von einer höheren, daß er der Sohn Gottes ist. Dies verkündete der Engel Gabriel der Gottesmutter, als sie ihn fragte: »Wie soll das geschehen, da ich keinen Mann erkenne?« – »Der Heilige Geist wird über dich kommen«, antwortete der Engel, »und die Kraft des Allerhöchsten soll dich überschatten, und so wird das Kind, das aus dir geboren wird, Sohn Gottes genannt werden« (Lk 1,34f.).

Folgerichtig ist die Jungfrauengeburt ein Hauptstück aller frühchristlichen Glaubensbekenntnisse, nicht in erster Linie, weil sie etwas über Maria aussagt, sondern weil sie die Person und Natur Jesu deutlich macht. So fragt z. B. das Tauf-Bekenntnis des Hippolyt (um 215): »Glaubst du an Jesus Christus, den Sohn Gottes, geboren aus dem Heiligen Geist und Maria der Jungfrau?«[7]

Dieses Argument wurde auch von den frühen christlichen Apologeten, wie Justin dem Märtyrer und Athenagoras, bei ihrer Verteidigung des christlichen Glaubens benutzt. Ignatius von Antiochien (um 100) sprach von der Jungfrauengeburt als einem christologischen Mysterium, das der damaligen Welt laut verkündet wurde:

»Die Jungfräulichkeit Mariens, die Geburt ihres Kindes und auch der Tod des Herrn blieben dem Fürsten der Welt verborgen. Drei Mysterien wurden laut verkündet; doch sie geschahen in der Verborgenheit Gottes« (Ad Eph 19,1).

Die Lehre von der Jungfrauengeburt ist in der Tat das äußere Zeichen des Mysteriums der Menschwerdung; sie bestätigt, daß Jesus der wirkliche Sohn einer wirklichen Mutter ist, jedoch nicht empfangen aus menschlichem Samen, sondern vom Heiligen Geist. Obwohl Menschensohn, war er ohne Sünde; er war der Beginn einer neuen Gattung Mensch.[8]

3. *Jungfräulichkeit Mariens und unsere Erlösung.* Gott kam zu uns, geboren aus einer Jungfrau, nicht gezeugt durch menschlichen Samen; er vereinigte sich mit uns, nicht wegen unserer Bemühungen oder Verdienste, sondern allein aus göttlicher Gnade, die über uns ausgegossen wurde. Es ist dies ein Geschenk der Liebe, die nur von Gott kommt. Die Jungfräulichkeit Mariens wiederum ist damit auch ein Zeichen der Armut des Menschen und seiner Unfähigkeit, seine Erlösung selbst zu bewerkstelligen, eins zu werden mit dem einen, der ihn retten kann.[9]

Die Jungfräulichkeit Mariens bedeutet nicht, daß wir in unserem geistlichen Leben passiv sein müssen. Denn Gott erzwang sich den Zugang zum Schoß Mariens nicht; sie empfing nicht gegen ihren Willen, sondern hatte einen aktiven Anteil daran. Gott bat sie zu empfangen! Die Menschwerdung des Sohnes Gottes geschah durch die freie Gnade Gottes; Maria nahm sie in demütigem Gehorsam an.

Jesus Christus wurde aus einer Jungfrau geboren. Diese ist der Archetypus der neuen Kirche; sie macht die himmlische Natur des Königreiches, das mit Christus seinen Anfang nahm, deutlich. Denn Jungfräulichkeit ist das Gesetz des Himmels, während Heirat nur in dieser Welt möglich ist.

Heirat mit ihrem Zweck Hervorbringung von Kindern sichert das Fortbestehen des menschlichen Lebens auf der Erde, die Geschlechterfolge. Im Himmel aber stirbt niemand, infolgedessen sind Heirat und Kinderhaben nicht notwendig für den Fortbestand des himmlischen Königreiches. Der Zustand aller Geschöpfe dort ist daher Jungfräulichkeit.

So bedeutet die Jungfräulichkeit Mariens bei der Menschwerdung des Sohnes Gottes die Errichtung des himmlischen Königreiches in der Menschheit. Das Volk Gottes ist zu einem neuen Leben berufen; es muß das himmlische Leben, die Jungfräulichkeit, in Herz, Geist und Seele durch die Nachfolge Jesu Christi, des himmlischen Bräutigams, praktizieren. Dies ist die Natur der Kirche im Neuen Testament, deren erstes und ideales Mitglied Maria ist.

4. *Jungfrauengeburt und geistige Geburt.* In der koptischen Kirche ist die Feier der Geburt Christi an Weihnachten mit der Feier seiner Taufe an Epiphanie verbunden, wie auch in der Frühzeit die beiden Herrenfeste am gleichen Tag gefeiert wurden. An Weihnachten nahm der Herr das an, was unser ist, d. h. unser Menschsein, während er an Epiphanie die in Jesus verborgene Kirche erhielt, was sein Eigen ist, das heißt seine Beziehung zum Vater: Er wurde Menschensohn, wir wurden Kinder Gottes.

Dies wird im folgenden Hymnus der koptischen Kirche besungen:

»Er nahm, was unser ist und goß über uns, was sein ist. Wir wollen ihn loben und preisen.«

Die Wechselbeziehung zwischen der jungfräulichen Geburt des Herrn im Fleisch und unserer geistigen Geburt hat ihre Parallele in der göttlichen Inkarnation im heiligen Leib der Jungfrau. Dort nämlich erhielt der Herr seinen Leib, der mystisch zugleich die mit ihm vereinigte Kirche ist (vgl. Eph 1,23). Dort ist die Braut, die Kirche, geschaffen, um mit ihrem himmlischen Bräutigam vereint zu werden. Diesbezüglich meint Proclus von Konstantinopel:

»Maria ist die Werkstatt, in der die Naturen vereint wurden, das Forum des Heils, das Brautgemach, in dem der Logos Fleisch annahm.«[10]

Weitere Aussprüche der Väter sollen dies verdeutlichen:

»Der reine Christus öffnete den reinen Leib, sodaß förderhin die Menschheit wiedergeboren werden kann« (Irenäus).[11]

»Jene, die ihn Emmanuel nannten, geboren aus der Jungfrau, verkündeten auch die Einheit Gottes mit seinem Werk; weil der Logos Fleisch werden wird und der Sohn Gottes ein Sohn des Men-

schen, gab es nur ein reines Öffnen des reinen Leibes, das die Menschen für Gott schuf« (Irenäus).[12]

»Christus öffnete den stillen, fleckenlosen und furchtbaren Leib der heiligen Kirche für die Geburt des Gottesvolkes« (Ambrosius).[13]

»Deine göttliche Geburt, o Herr, gab Geburt allen Kreaturen. Die Menschheit gab dir Geburt im Fleische und du gabst der Menschheit Geburt im Geiste. Gelobt seist du, der ein Kind wurde, um alles neu zu machen« (Ephräm der Syrer).[14]

»Wie Christus Fleisch annahm aus einer Frau, geschaffen von ihr im Fleisch, wiederholte er die Erschaffung des Menschen (Kyrill von Alexandrien).[15]

»Wir bezeugen, daß der eingeborene Sohn Mensch wurde, damit er, wie er von einer Frau dem Fleische nach geschaffen, die menschliche Gesellschaft wieder neu schaffen konnte ... durch sein Fleisch vereint er alle in sich« (Kyrill von Alexandrien).[16]

»Von oben kam das göttliche Wort in deinen (Mariens) heiligen Leib und machte Adam neu« (Gregor der Wundertäter).[17]

»Der Sohn Gottes wurde Davids Sohn. Zweifle nicht, daß du, ein Sohn Adams, ein Sohn Gottes werden kannst.

Wenn Gott sich so tief herabließ, hat er dies nicht umsonst getan, sondern um uns zu solch großartigen Höhen emporzuheben.

Er wurde im Fleische geboren, damit ihr im Geiste wiedergeboren werdet.

Er wurde aus der Jungfrau geboren, damit du ein Kind Gottes werden darfst« (Johannes Chrysostomus).[18]

»Der Sohn Gottes machte sich selbst zum Menschen, damit wir ihn als Mitglied unserer Familie willkommen heißen, und trotz unserer Sünden wiedergeboren werden in Hoffnung ... Wir sind vor unserem Lehrmeister geflohen und haben die Gnade, die er uns anbot, verschmäht. Doch was tut der Herr in seiner Güte? Er verfolgt den Fliehenden, um ihn zurückzubringen. Er nähert sich ihm, nicht im Gewand der Majestät, sondern bescheiden aus Mariens Leib, und in dieser angenommenen Gestalt wird er ihm vertraut und zum Freund, indem er sich zum Diener macht, damit wir Herren werden mit ihm« (Theodotus von Ancyra).[19]

5. Die Jungfräulichkeit Mariens und die geistige Jungfräulichkeit. Im Alten Bund war eine Jungfrau ohne Hoffnung auf Ehe und

Mutterschaft in der gleichen Lage wie eine kinderlose Frau, ein trauriger Zustand, ein Zeichen von Gottes Zorn.

Im Neuen Bund gab zum ersten und letzten Mal eine Jungfrau dem Messias das Leben. Damit ist ihre Jungfräulichkeit nicht mehr länger ein Zeichen der Schande, seit sie durch das Wirken des Heiligen Geistes empfangen hatte.

Jungfräulichkeit wurde nun zum Zeichen der engen Beziehung zwischen Gott und Mensch, weshalb Paulus die Kirche »Jungfrau« (Braut) Christi nennt (vgl. Eph 5,23 ff.). In der Apokalypse wird die ungezählte Schar der von Gott Auserwählten dargestellt durch die 144 000 »Jungfräulichen, die dem Lamme folgen, wohin es geht« (14,4 f.).

Wenn hier Jungfräulichkeit mit Heiligkeit in Beziehung gebracht wird, dann heißt dies aber nicht, daß jede Jungfrau als heilig betrachtet werden muß und jede heilige Person Jungfrau sein muß. Andernfalls würden wir die christliche Ehe abwerten, die heilig ist. Was wir meinen, ist, daß buchstäbliche Jungfräulichkeit nur ein Zeichen der geistlichen ist. Diese ist dem Wesen nach völlige Hingabe an Gott und dauerndes Einssein mit ihm in Jesus Christus. Sie ist die Jungfräulichkeit von Seele, Herz, Gemüt, Sinnen und Begierden, die wir durch den Heiligen Geist erreichen können, der Körper, Seele und Geist heiligt und uns so für das ewige, himmlische Hochzeitsfest vorbereitet.

»(Jungfräulichkeit) ist Lohn in sich, weil sie Gott gewidmet ist« (Augustinus).[20]

»(Jungfräulichkeit) ist die notwendige Tür zu einem heiligen Leben ... Sie ist der Weg, wodurch das Göttliche am Menschsein teilnimmt; sie gibt dem Verlangen des Menschen Flügel, damit er sich zu himmlischen Dingen erheben kann; sie ist das Verbindungsstück zwischen Göttlichem und Menschlichem, durch dessen Vermittlung Harmonie in die so weit auseinanderliegenden Daseinsformen gelangt.

Es ist erwiesen, daß diese Vereinigung der Seele mit der unbestechlichen Gottheit auf keine Weise besser aufrechterhalten werden kann als durch größtmögliche Reinheit – einen Zustand, der Gott gleich, der fähig macht, jenen Zustand von Jungfräulichkeit zu erreichen, der die Reinheit Gottes wiedergibt wie ein Spiegel, in dem man mit dem Widerschein und dem Aussehen des Urbilds aller Schönheit abgebildet ist« (Gregor von Nyssa).[21]

»An diesem Tag (Weihnachten) wird die jungfräuliche Geburt von der jungfräulichen Kirche gefeiert ...

Die Jungfräulichkeit, die Christus für seine Kirche wünscht, sichert er zuerst im Leib Mariens.

Die Kirche aber kann nur jungfräulich sein, wenn sie einen Bräutigam hat, dem sie sich ganz hingeben kann, und das ist der Sohn der Jungfrau" (Augustinus).[22]

»Eure Jungfräulichkeit sollte etwas Geistiges sein. Es kann in der Kirche nicht viele geben, die körperlich jungfräulich sind; doch geistig sollte jeder Gläubige jungfräulich sein ... Deshalb, meine Seele, hab acht und bewache deine eigene Jungfräulichkeit!« (Ambrosius). [23]

»Euer Beispiel ist nun das Leben Mariens, aus dem wie aus einem Spiegel alle Schönheit des Reinen und das Vorbild jeder Tugend aufscheint« (Ambrosius).[24]

6. *Die immerwährende Jungfrau.*

»Emmanuel, den du geboren hast,
ließ dich unversehrt
und deine Jungfräulichkeit versiegelt.«

(Theotokia vom Samstag)

Blieb Maria Jungfrau, als sie Jesus gebar? Diese Frage kam früh auf, vielleicht schon im 1. Jahrhundert, und viele orthodoxe Schriften behandeln diese Frage. Man kann annehmen, daß Petrus von Alexandrien (um 311) der erste bekannte Zeuge für den Titel der Gottesmutter ἀειπάρθενος, d. h. immerjungfräulich ist.[25] Er sagte: »Jesus Christus ... wurde im Fleisch geboren von unserer heiligen glorreichen Herrin, der Mutter Gottes (θεοτόκος) und immerjungfräulichen (ἀειπάρθενος) Maria."[26]

Doch ist er nicht der erste der Väter, der an die immerwährende Jungfräulichkeit Mariens glaubte, nämlich vor der Geburt (ante partum), bei der Geburt (in partu) und danach (post partum). So zitiert im 2. Jahrhundert Irenäus die Stelle Isaias 66,7. Dort erzählt der Prophet von einer ungewöhnlichen Neubesiedelung Jerusalems durch die Mutter Sion, und er interpretiert dies so, daß hier von der Jungfrau Maria gesprochen wird, die in einzigartiger Weise einen Menschen ohne Geburtswehen gebar. „Seine Geburt betreffend, sagt der Prophet an anderer Stelle: Bevor sie, welche die Geburt erwartete, in Wehen kam, wurde ein Menschenkind geboren." Es erklärte dieses Unerwartete, das zu einer außergewöhnlichen Jungfrauengeburt führte[27], und bekräftigte so ihre Jungfräulichkeit.

Klemens von Alexandrien weist darauf hin, daß Maria Jungfrau blieb, indem er die Annahme zurückweist, daß sie durch die Geburt ihres Sohnes Frau wurde.[28]

Origenes bestätigt die immerwährende Jungfräulichkeit der Gottesmutter in seinen Homilien zu Leviticus.[29] An anderer Stelle sagt er: *»Das ist uns überliefert ... Maria ging nach der Geburt unseres Erlösers zur Anbetung (in den Tempel) und stand auf der Seite der Jungfrauen. Diejenigen, die wußten, daß sie einen Sohn geboren hatte, versuchten sie von diesem Platz zu verdrängen; doch Zacharias sagte zu ihnen: Sie verdient den Platz der Jungfrauen, denn sie ist noch Jungfrau.«*[30]

Athanasius gebraucht den Ausdruck »immerwährende Jungfrau«[31] und Didimus der Blinde verkündet die Jungfräulichkeit Mariens »in partu« und »post partum« und nennt sie ebenfalls ἀειπάρθενος.[32]

Nun noch weitere Väter-Stellen zum gleichen Thema:

»Wir kennen vieles nicht, wie zum Beispiel dies, wie der Unendliche in einem Leib war, wie er, der alle Dinge trägt, getragen und geboren wurde von einer Frau, und wie die Jungfrau gebar und Jungfrau blieb« (Johannes Chrysostomus).[33]

»Der Leib der heiligen Jungfrau, der einer unbefleckten Geburt diente, verlor die Jungfräulichkeit nicht; noch weniger verhinderte die Jungfräulichkeit eine so große Geburt« (Gregor von Nyssa).[34]

»Nur Christus öffnete die verschlossenen Türen ihres Leibes und dennoch blieben die Tore fehlerlos verschlossen« (Hieronymus).[35]

»Auch wenn die Tür verschlossen war, Jesus betrat das Grab, das war Maria, neu und in den härtesten Felsen gehauen; kein anderer lag da, vorher und nachher. Sie ist ein verschlossener Garten, eine versiegelte Quelle (vgl. Hld 4,12). Sie ist das östliche Tor, von dem Ezechiel spricht (14,2), das immer verschlossen ist, voll des Lichts, das sich selbst verschließend, das Allerheiligste hervorbrachte, nach der Ordnung des Melchisedech ein- und ausgehend. Wenn ihr mich fragt, wie Jesus durch die verschlossenen Türen eintrat, ich werde antworten: die heilige Maria ist beides, Mutter und Jungfrau; Jungfrau nach der Geburt, Mutter ehe sie heiratete« (Hieronymus).[36]

»Wenn bei seiner Geburt ihre Jungfräulichkeit zerstört worden wäre, so bedeutet dies, daß er von diesem Augenblick an nicht von

einer Jungfrau geboren wurde, und die ganze Kirche hätte fälschlicherweise verkündet – was Gott verbietet –, daß er von der Jungfrau Maria geboren wurde« (Augustinus).[37]

»Genauso wie (der Herr) eintrat, als die Türen (des Abendmahlsaales) geschlossen waren, genau in derselben Weise kam er aus dem Leib der Jungfrau, weil diese als Jungfrau tatsächlich und ohne Schmerzen gebar ... Ihre Jungfräulichkeit blieb ganz und heil« (Ephräm der Syrer).[38]

»O herrliches Geheimnis! Maria blieb Jungfrau nach der Verlobung, Jungfrau nach der Empfängnis und Jungfrau nach der Geburt ihres Kindes. Wenn es irgend etwas Besseres als Jungfräulichkeit gegeben hätte, hätte Gott dies seiner Mutter gegeben; doch er gab ihr die Ehre göttlicher Jungfräulichkeit« (Zeno von Verona).[39]

»Die Natur kennt nach der Geburt keine Jungfrau, aber die Gnade machte sie schwanger und bewahrte die Jungfrau; machte sie zur Mutter und verletzte ihre Jungfräulichkeit nicht. O du nicht bestellte Erde, die du die rettende Frucht brachtest! O Jungfrau, welche die Freuden des Gartens Eden übertrifft! ... Die Jungfrau ist schöner als das Paradies. Das Paradies wurde von Gott geschaffen; Maria schuf Gott selbst im Fleische, als er mit der menschlichen Natur vereint werden sollte« (Theodotus von Ancyra).[40]

7. *Mariens Gelübde der Jungfräulichkeit.* Nach dem apokryphen Protoevangelium des Jakobus, das volkstümliche Vorstellungen des 2. Jahrhunderts widerspiegelt, wurde Maria als Kind von Joachim und Anna geboren, die beide schon alt waren. Die Mutter hatte das Gelübde abgelegt, daß sie das Leben ihres Kindes ganz Gott weihen wollte.

Im Alter von drei Jahren wurde Maria nach dieser Quelle im Tempel vorgestellt, wo Engel sie nährten. Nach koptischer Überlieferung feiert man das Marienfest ihrer Vorstellung im Tempel am 3. Keyahk (= 12. Dezember). An ihm wird an das Kind Maria erinnert, das im Tempel unter den Jungfrauen lebt. Folgender Hymnus wird dabei gesungen:

»Drei Jahre alt wurdest du im Tempel vorgestellt, o Maria. Du kamst als Taube und die Engel eilten herbei. Sie war bei den Jungfrauen, Gott lobpreisend und mit ihnen singend. Sie betrat den Tempel in Herrlichkeit und Ehre.“

Als Maria zwölf Jahre alt war, versammelten sich die Priester, um zu beraten, was mit Maria geschehen soll, wenn sie den Tempel verließ. Sie riefen zwölf Männer aus dem Stamme Juda und legten deren Stäbe im Tempel nieder. Am nächsten Tag holte der Hohepriester Abiathar die Stäbe und gab sie einem jeden zurück. Als einer von ihnen mit Namen Joseph seine Hand nach dem Stab ausstreckte, flog eine Taube an dessen Spitze, weißer als Schnee und sehr schön; sie flatterte eine Weile zwischen den Zinnen des Tempels, bis sie zum Himmel aufstieg. Da gratulierten alle dem alten Mann und sagten zu ihm: »Du bist gesegnet in deinem Alter, Vater Joseph; Gott hat hier gezeigt, daß du würdig bist, Maria zu bekommen.«[41]

In der jüdischen Überlieferung besteht die Eheschließung aus zwei Schritten, der Verlobung und der eigentlichen Hochzeit. Nach bestimmten, das Vermögen betreffenden Abmachungen wird das Paar im Haus der Braut miteinander verlobt. Dies entsprach in gewisser Hinsicht unserer Eheschließung, ohne daß es jedoch jetzt schon zu sexuellen Beziehungen gekommen wäre.

Die Verlobte wurde als Frau des Mannes betrachtet; sie galt als Witwe, wenn ihr Verlobter starb, und sie hatte finanzielle Ansprüche wie eine verwitwete oder geschiedene Frau. Bei Untreue traf sie dieselbe Strafe wie eine Ehefrau. Wie eine solche konnte sie auch nicht ohne Scheidungsbrief verstoßen werden. Wenn die verlobte Frau nicht schon früher verheiratet gewesen war, hat sie üblicherweise ein Jahr mit dem zweiten Schritt, der Hochzeit, gewartet.[42]

So verstehen wir, warum Maria »die Frau Josephs« genannt wurde (Mt 1,16), obwohl sie nicht mit ihm verheiratet, sondern nur verlobt war.

Manche mögen nun fragen, ob es zwischen Maria und Joseph ein Übereinkommen gab, auch nach der Hochzeit jungfräulich zu leben. Ein solches setzt Augustinus voraus in seinem Kommentar zur Frage Mariens an den Engel: »Wie soll dies geschehen, da ich keinen Mann erkenne?« (Lk 1,34). Er sagt: »Sicherlich würde sie das nicht gesagt haben, wenn sie nicht schon vorher ihre Jungfräulichkeit Gott geweiht hätte und sie dieses Gelübde halten wollte.«[43]

Doch es gibt aus der frühen Zeit auch Einwände gegen diese Ansicht. So benutzte Helvedius im 4. Jahrhundert den Satz aus Mt 1,25 »Und er erkannte sie (Maria) nicht, bis sie ihren ersten Sohn geboren hatte«, um aufzuzeigen, daß das Evangelium gegen die immerwährende Jungfräulichkeit Mariens zeugt, da Jesus ihr erstgeborener Sohn ist, der Brüder hatte, also weitere Söhne Mariens.

Ihm antwortete Hieronymus: »Es ist üblich, in den Schriften mit dem Titel Erstgeborener nicht den zu bezeichnen, dem Brüder und Schwestern folgen, sondern den, der als erster geboren wird« (vgl. Ex 34,19f.).[44] Jedes Einzelkind ist ein erstgeborenes Kind, aber nicht jedes Erstgeborene ein Einzelkind.

Ebenso bedeutet die Wendung »er erkannte sie nicht, bis sie ihren erstgeborenen Sohn gebar« nicht, daß Joseph sie nach der Geburt Christi erkannte. Denn das Wort »bis« präjudiziert nichts für die Zukunft. Als Beispiel: Die Heilige Schrift stellt fest: »Kein Sohn wurde Michol, der Tochter Sauls, geboren bis zu ihrem Todestag« (2 Kg 6,23); was keineswegs heißt, daß sie nach dem Tod geboren hat.

Demgegenüber schrieb der oben genannte Helvedius, Maria und Joseph hätten nach der Geburt Jesu die Ehe vollzogen, und Maria hätte später weitere Kinder gehabt und zwar die in den Evangelien erwähnten »Brüder Jesu« (Mk 6,33; Mt 13,55f.). Einige Jahre später trugen Jovinianus und Bonosus, Bischof von Naissus, dieselben Gedanken vor.

Zu dieser Frage meinte grundsätzlich Origenes: »Niemand dessen Meinung über Maria gesund ist, wird sagen, daß sie ein anderes Kind außer Jesus hatte.« Was aber meint die Heilige Schrift mit den Worten »Brüder Jesu«?

Einige Väter denken an Kinder Josephs aus einer früheren Ehe. Als Gegengründe werden genannt: Wenn diese Brüder tatsächlich älter als Jesus waren, warum werden sie dann in den Erzählungen über die Kindheit, besonders über die Flucht nach Ägypten, nicht erwähnt?

Das Evangelium läßt in der Geschichte vom zwölfjährigen Jesus im Tempel die heilige Familie aus nur drei Personen bestehen (vgl. Lk 2,41–52).

In seinem Evangelium stellt Matthäus Jesus vor als Erben Josephs, des Sohnes Davids. Wenn aber ältere Brüder Jesu vorhanden gewesen wären, nämlich Söhne des Joseph, so wäre er nicht der Erbe.

Wenn Jesus Brüder gehabt hätte, dann hätte er seine Mutter in deren Haus gelassen und sie nicht Johannes anvertraut.

Eine andere Sicht hat Hieronymus. Er betont, daß der Ausdruck »Brüder« in der Heiligen Schrift benützt wird für: Blutsbrüderschaft, gemeinsame Nationalität, nahe Verwandte und Freunde.

Im Fall der Brüder Jesu trifft die dritte Erklärung zu (nahe Verwandte). So nennt Abraham den Sohn seines Bruders Lot seinen Bruder (Gen 13,8), und Laban benutzte denselben Ausdruck für seinen Schwiegersohn (Gen 29,15).

Daraus folgt, daß in biblischer Zeit auch Vettern Brüder genannt wurden; diese lebten meist alle unter einem Dach in einer Großfamilie. Bis heute wird dieser Ausdruck in einigen Orten Oberägyptens gebraucht, wo man sich schämt, wenn jemand seinen Vetter nicht »Bruder« nennt.

Nach Meinung des Hieronymus waren die »Brüder Jesu« Söhne von Maria, der Frau des Kleophas, der Schwester der Gottesmutter (vgl. Joh 19,25). [45]

2.

Die Gottesmutterschaft Mariens

»Die Cherubim halten den Thron Gottes, du aber trägst Gott selbst in deinen Händen. Die Seraphim verhüllen mit ihren Flügeln ihr Angesicht, du aber betrachtest ihn nicht nur, sondern liebkost ihn und reichst deine Brust seinem heiligen Mund«. [46]

1. *Die Mutterschaft Mariens in der Bibel.* Die Heilige Schrift gibt Zeugnis von der Mutterschaft Mariens hinsichtlich des Sohnes Gottes, denn sie nennt ihren Sohn ausdrücklich »Gott« (vgl. Joh 20,28). Auch bei der Verkündigung spricht der Engel Gabriel von dem Kind, das sie empfangen wird, als vom »Sohn des Allerhöchsten«, dem einen »Heiligen« und dem »Sohn Gottes« (Lk 1,35).

Als Maria das Haus ihrer Base Elisabeth betrat, hüpfte das Kind, das in deren Leib heranwuchs, vor Freude auf (vgl. Lk 1,41.44). Sie wurde vom Heiligen Geist erfüllt, der sie das Geheimnis der Fleischwerdung Gottes verstehen ließ. Die alte Frau, Gattin eines Priesters, schwanger mit einem großen Propheten, demütigte sich vor einem jungen Mädchen, als sie merkte, daß Maria die Mutter ihres Gottes war; sie sagte: »Wie geschieht mir, daß die Mutter meines Herrn zu mir kommt?« (Lk 1,43).

Die ganze Welt wußte nichts von der Verkündigung des Engels an Maria, und obwohl kein äußeres Zeichen des göttlichen Ereignisses sichtbar war, erkannte doch Elisabeth die Gottesmutterschaft Mariens.

Das Wunder ist, daß all dies geschah, als Elisabeth den Gruß Mariens hörte, denn der Sohn Gottes, der in ihrem heiligen Leib wohnte, sprach durch ihren Mund und ließ sie handeln.

2. *Die Mutterschaft Mariens in der frühen Kirche.* Die Lehre von

Abb. 3. Koptische Ikone »Flucht nach Ägypten« in Kairo.

der Mutterschaft Mariens wurde in der Auseinandersetzung der Kirche mit den Irrlehrern entwickelt und mit der Betonung auf zwei christologische Fakten verkündet:

Einmal daß Jesus wirklich von Maria geboren wurde. Er hatte keinen Scheinleib, sondern eine reale Mutter und reales Fleisch.

Weiterhin daß der von Maria geborene Jesus Christus der ewige Sohn Gottes ist, der keinen Anfang hat.

Bekämpft wurde diese Lehre durch den *Gnostizismus.* Die meisten gnostischen Systeme basieren auf der Unterscheidung zwischen einem »Weltenschöpfer« und einem fernen, unbekannten göttlichen Wesen. In einigen Systemen sieht man die Schöpfung des materiellen Universums als Ergebnis des Falles der Sophia (Weisheit). Die Schöpfung ist nach Meinung der Gnostiker von Übel.

Sie teilen die Menschen in zwei bzw. drei Klassen ein. Da sind einmal die spirituellen Menschen (Pneumatiker); sie erhalten einen Schimmer von der Geistigkeit Gottes. Durch »Gnosis« (Wissen) und bestimmte Riten kehrt das spirituelle Element in sein göttliches Zuhause zurück.

Die anderen, die Fleischlichen, Materiellen sind nur auf die materiellen Dinge bezogen und fallen daher ewiger Verdammnis anheim.

Einige Gnostiker fügen eine dritte Klasse, eine Art Mittelding, hinzu: die »Physischen« (gemäß 1 Kor 2,14). Das sind solche Menschen, die nicht zur Erkenntnis gelangen; sie erreichen daher nur das mittlere Königreich des Weltenschöpfers und zwar durch Glauben und gute Taten.

Die Aufgabe Christi war es, wie diese Irrlehrer meinen, als Bote des höchsten Gottes »Gnosis« (Erkenntnis) zu bringen. Als Gottwesen nahm er weder einen richtigen Menschenleib an noch starb er wirklich.[47] Sie wollen nicht glauben, daß der Erlöser Fleisch wurde und von einer Jungfrau geboren war.

Eine dieser gnostischen Systeme war der Doketismus, eine Irrlehre, welche schon die junge Kirche bedroht hat. Das hier zugrunde liegende griechische Wort δοκεῖν bedeutet »scheinen«, »sein als ob«. Die Doketen meinten, daß Jesus Christus kein wahrer Mensch war, sondern es schien nur so; er hatte einen Körper, der nur durch die Jungfrau hindurch ging, ohne von deren Substanz gebildet zu sein.

Wie Irenäus bezeugt, erklärt Saturninus (um 120), »daß der Erlöser ungeboren, unkörperlich ohne Gestalt war … Denn er sagt, es sei des Teufels zu heiraten und Kinder zu gebären.«[48]

Valentinus lehrt im 2. Jahrhundert ebenfalls, daß Christus sich mit dem Mann Jesus, »der durch Maria nicht von Maria« geboren wurde, vereinigt hat. Er sei durch sie wie durch einen Kanal gegangen.[49]

Die Lehre des Häretikers Marcion ist die: Jesus hatte weder eine menschliche Seele noch einen irdischen Körper. Er wurde nicht von Maria geboren, sondern erschien plötzlich in Judäa mit einem imaginären Fleisch als voll erwachsener Mann, der sofort sein geistliches Amt antrat.[50]

Apelles, ein Schüler Marcions, gesteht Christus zwar echtes Fleisch zu, spricht jedoch von einem himmlischen Körper. Er sei vom Himmel herab in diese Welt gekommen und nicht durch Maria.

Die Kirchenväter wie Ignatius von Antiochien, Justin der Märtyrer, Irenäus, Tertullian und Origenes warnten die Christen vor solchen Lehren. Sie nahmen es mit diesen Irrlehrern auf, indem sie die wirkliche Mutterschaft Mariens, das Mysterium der Inkarnation, das reale Menschsein Christi immer weider erklärten. So schrieb schon Ignatius an die Christen in Trallia: »Verschließt eure Ohren, wenn jemand zu euch redet und Jesus Christus verleugnet, das Reis Davids und Sohn Mariens, der wahrhaft geboren wurde, aß und trank« (Ad Trall. 9,10).

Eine andere Irrlehre bezüglich der Gottesmutterschaft Mariens war der *Manichäismus.* Sein Begründer ist Mani im 3. Jahrhundert. Sein System war die radikale Fortsetzung der gnostischen Tradition Ostpersiens. Er baute auf einen ursächlichen Kampf zwischen Licht und Finsternis, zwischen Gott und Materie auf. Die Aufgabe der Religion in der Praxis sei es, die Lichtfünkchen, die Satan aus der Welt des Lichts entwendet und in den Verstand des Menschen eingesperrt hat, zu erkennen. Um bei dieser Aufgabe zu helfen, wurden Jesus, Buddha, Mani und andere Propheten gesandt.

Da die Manichäer neben dem Fleischessen auch alles Geschlechtliche verwarfen, wundert es nicht, daß sie lehrten, daß Jesus Christus niemals ein Kind von Maria sein konnte.[51]

Im Gegensatz zu den Gnostikern leugnen die *Arianer,* daß Jesus, der Sohn Mariens, der ungeschaffene Sohn Gottes ist, eines Wesens mit dem Vater. Sie verneinen die Gottheit Jesu und folglich auch die Gottesmutterschaft Mariens.

In seinem Rundbrief an die Bischöfe (um 319) spricht Alexander von Alexandrien von der Irrlehre des Arius und gebraucht dabei den Beinamen »Theotokos« (Gottesgebärerin) für Maria:

»So wissen wir denn von der Auferstehung von den Toten, deren erste Frucht unser Herr Jesus war, der in Wahrheit und nicht nur in der Vorstellung einen Leib hatte, geboren von Maria, der Theotokos.«[52]

Dieser Ehrentitel floß ganz natürlich aus seiner Feder, so daß der Eindruck entsteht, daß dieser schon seit einiger Zeit eingeführt und unumstritten war und schon damals in den Gebeten gebraucht wurde.

Athanasius betont in seinem Kampf gegen Arius, daß Christus aus dem Vater geboren wurde, daß er jedoch seine Menschheit von der »ungepflügten Erde«[53], der »immerjungfräulichen«[54], der Gottesmutter erhielt.[55]

Ambrosius von Mailand verfaßte damals einen Hymnus für das Weihnachtsfest, um die Christen in ihrem Glauben an Jesus Christus, den wahren Gott, zu bestärken und ihnen im Kampf gegen die Arianer beizustehen:

»(Veni redemptor gentium) Komm, Erlöser der Völker, geboren aus der Jungfrau. Laß alle Welt bewundern diese Geburt, die Gott gebührt.«

Vor den Vätern des Konzils von Ephesus (431) predigte Kyrill von Alexandrien mit den Worten:

»Gruß dir . . . Maria, Gottesmutter, prächtiger Schatz der ganzen Welt, unauslöschbare Lampe, Krone der Jungfräulichkeit, Zepter der Rechtgläubigkeit, unzerstörbarer Tempel, Wohnsitz des Unbegrenzten, Mutter und Jungfrau . . .

Gruß dir, die ihn enthielt, der nicht in deinem heiligen, jungfräulichen Leibe blieb.«[56]

Die Kontroverse, die zwischen Kyrill und Nestorius ausgebrochen war, bildete den Anlaß für die Einberufung dieses ökumenischen Konzils. Zwar hatte in erster Linie der Titel »Theotokos« für Maria den Streit ausgelöst, es ging jedoch im Kern um Fragen der Christologie.

Hier seien die Umstände kurz aufgezeigt, die zum Eingreifen Kyrills in die nestorianische Kontroverse geführt haben:[57]

Nachdem Nestorius, ein Priester in Antiochien und Schüler des

Theodorus, 428 zum Bischof von Konstantinopel geweiht worden war, gebrauchte er den Titel »Christotokos« (Christusgebärerin) für Maria. Die Fronten waren klar abgesteckt, als einer seiner Priester, Anastasius, den er aus Antiochien mitgebracht hatte, im Dezember 428 in seiner Gegenwart predigte: »Laß niemanden Maria Theotokos nennen, denn Maria war eine Frau, und es ist unmöglich, daß Gott von einer Frau geboren sein sollte.«

Diese Lehre verbreitete Nestorius öffentlich, auch er selbst lehrte in einer Reihe von Predigten in der Weise, daß er deutlich unterschied zwischen dem Mann Jesus, den Maria geboren hat, und dem Sohn Gottes, der in diesem wohnte. Es gäbe zwei unterschiedliche Personen in Christus, dem Sohne Gottes, die nicht wesenhaft, sondern nur moralisch vereint seien. Christus sollte deshalb nicht Gott, sondern »Gottträger« (ϑεοφόϱων) genannt werden, so wie die Heiligen wegen der göttlichen Gnade, die ihnen zuteil wurde. Demzufolge sei Maria nicht die Mutter Gottes, sondern nur die des Menschen Jesus, in dem die Gottheit wohnte.

Nestorius und seine Anhänger übten Kritik an den Magiern, weil sie vor dem Jesuskind gekniet haben; er lehrte auch, daß die Gottheit im Augenblick der Kreuzigung von der Menschheit Jesu getrennt wurde.

Diese falschen Lehren kamen Kyrill von Alexandrien zu Ohren, der daraufhin in seinem jährlichen Osterbrief vom Jahr 429 ohne direkten Bezug auf Nestorius die Lehre von der Inkarnation in klaren, einfachen Begriffen darlegte, daß nämlich das wahrhafte, vollkommene Menschsein in Christus mit seiner Göttlichkeit zu einer göttlichen Person vereinigt war. Vier Monate später schrieb er in einem Brief an die Mönche über dasselbe Thema. Als aber Nestorius von diesen Schreiben Kenntnis erhielt, wurde er zornig und beauftragte einen gewissen Photius, der sie beantworten sollte.[58]

Kyrill sandte nun an Nestorius zwei Briefe, in denen er die Natur Christi als die des inkarnierten Gottessohnes darlegte und für Maria das Recht in Anspruch nahm, »Theotokos« genannt zu werden. In seinem zweiten Brief schrieb er:

»Wir sagen nicht, daß die Natur des Logos Fleisch wurde durch Umwandlung, noch daß es umgeformt wurde zu einem Menschen mit Leib und Seele; wir sagen vielmehr, daß der Logos in nicht beschreib-

barer, unbegreiflicher Weise in einer Person (hypostatisch) mit seinem Fleisch vereint war, versehen mit einer vernunftbegabten Seele, und daher Mensch und Menschensohn genannt wurde. Er war nicht zunächst als ein gewöhnlicher Mensch von der Jungfrau geboren worden, so daß der Logos später auf ihn herabkam; er war vielmehr schon im Leib vereint.

Aus diesem Grund bekannten sich die heiligen Väter zur Jungfrau als Theotokos. Dies heißt nicht, daß die Natur des Logos oder seine Göttlichkeit ihren Anfang in der heiligen Jungfrau hatten; es heißt vielmehr, daß sein beseelter Leib, mit dem der Logos zu einer Person vereint war, von ihr geboren wurde, so daß man sagen kann: Er wurde geboren aus dem Fleisch.

Ich habe dies in meiner Liebe zu Christus an Euch geschrieben, und ich beschwöre Euch als Bruder und ermahne Euch in Christus und seinen auserwählten Engeln, so zu denken und mit uns in dieser Weise zu lehren, damit der Frieden der Kirchen gewahrt und das Band der Liebe und Einigkeit zwischen den Priestern Gottes unzerstört erhalten bleibt.«[59]

Danach fand in Alexandrien ein Regionalkonzil statt. Man sandte an Nestorius einen Synodalbrief, der die Lehren aus dem Brief des Kyrill enthielt und mit zwölf Artikeln oder Anathemata schloß. Das erste Anathem lautet:

»Wer nicht bekennt, daß der Emmanuel in Wahrheit Gott und aufgrund dessen die heilige Jungfrau die Theotokos ist, aus der der Logos Gottes Fleisch annahm – der sei ausgeschlossen«.

Am 22. Juni 431 begann das 3. ökumenische Konzil in Ephesus, dem Kyrill vorstand. Nestorius wurde abgesetzt und exkommuniziert. Auch wurde der zweite Brief Kyrills an Nestorius verlesen. Die versammelten Väter bestätigten die zwölf Anathemata, verdammten die Christologie des Nestorius und erkannten den Titel »Theotokos« feierlich an.

3. *Die Mutterschaft Mariens und die Inkarnation.* Johannes von Damaskus faßte unseren Glauben an die Theotokos in einem Satz zusammen; er sagte: »Dieser Name enthält das ganze Mysterium der Inkarnation.«[60]

Gregor von Nazianz wiederum erklärte die Notwendigkeit der Mutterschaft Mariens als das Ergebnis unseres Glaubens an die göttliche Inkarnation:

»Wenn jemand die heilige Maria nicht als Theotokos ansieht, ist er von der Gottheit ausgeschlossen.

Wer da sagen sollte, daß Christus durch die Jungfrau ging wie durch einen Kanal und nicht gleicherweise als Gott und Mensch gebildet war, der ist ebenfalls gottlos.

Wer da sagt, daß er geschaffen wurde und Gott danach in ihm wohnte, der sei auch verdammt.

Wer vom Sohn Gottes anders spricht als vom Sohn Mariens und diese beiden nicht als eine Person ansieht, soll seinen Anteil am Heil verwirken.«[61]

Maria gab durch die Inkarnation ihrem Sohn nicht etwa seine göttliche Person und Natur; das aber, so erklärt Kyrill, mindert nicht die Berechtigung auf ihren Titel. Andere Mütter übertragen auch nicht Seele und Persönlichkeit auf ihre Söhne; deshalb sind sie aber nicht weniger echte Mütter, echt nicht nur im Fleisch, sondern in der ganzen menschlichen Person.[62]

Es könnte aber jemand fragen, warum wählte der Logos Gottes die Geburt durch eine irdische Mutter, anstatt vom Himmel mit einem menschlichen Leib oder mit einem himmlischen, von Gott gebildeten Leib herabzusteigen?[63]

Darauf ist zu erwidern: Durch die Annahme des Fleisches im Leib Mariens wurde der Sohn Gottes nicht nur Mensch, sondern zugleich ein Teil des Menschengeschlechts, ein Abkömmling Adams aus dem Geschlechte Abrahams und dem Königshaus Davids. Durch das Muttersein Mariens floß unser Blut in seinen Adern, das von ihm zur Vergebung unserer Sünden vergossen wurde.

Durch die Gottesmutterschaft Mariens vereint der Erlöser die beiden Seiten, die wiederversöhnt werden sollten: Gott und Mensch. Er wollte uns erretten als der vollkommene Hohepriester und Mittler, von innen her gewissermaßen, als unser Bruder, nicht als ein Fremder.

Und schließlich stellt Augustinus fest, daß wenn der Sohn Gottes sich geweigert hätte, von einer Frau Fleisch zu werden, die Frauen verzweifeln müßten, als seien sie verworfene Geschöpfe. Seine Sohnschaft zu Maria stellte die rechte Ordnung der Geschlechter wieder her und machte seine Göttlichkeit aller Welt offenbar.

Augustinus meint von Maria weiterhin: »Sie empfing in ihrem Geist, ehe ihr Leib empfing.«[64] In der Tat wurde Maria schon durch ihre Erwählung als Mutter des Logos gesegnet. Ehe sie ihn physisch gebar, hatte sie ihn geistig schon hervorgebracht durch ihren Glauben. Sie war eine typische Hörerin des Wortes; sie hörte ihm zu, gehorchte, behielt die Worte in ihrem Herzen und erwog sie (vgl. Lk 2,51). Deshalb kann Augustinus sagen: »Die Mutterschaft Mariens hätte ihr nichts gebracht, wenn sie Christus nicht voller Freude zuvor in ihrem Herzen geboren hätte.«[65]

4. *Seelische Mutterschaft.* Maria stellt als die Mutter Gottes die Kirche dar, weil deren Glieder Gott geistig in ihren Herzen tragen. Daher betrachten die heiligen Väter das geistige Leben der Christen nach der Taufe als das wahre Wachsen Christi in den Herzen der einzelnen Gläubigen, wie die folgenden Texte zeigen:[66]

»So wie ein Kind im Mutter-Leib heranwächst, so scheint es mir mit dem Worte Gottes zu sein im Innersten einer Seele, welche die Gnade der Taufe erhielt und danach das Wort des Glaubens immer herrlicher, immer erfüllender findet.

Es wäre falsch, die Inkarnation des Gottessohnes durch die heilige Jungfrau zu verkünden, ohne seine Inkarnation in der Kirche zu predigen ... Jeder von uns muß deshalb sein Kommen im Fleisch durch die heilige Jungfrau anerkennen; zur gleichen Zeit müssen wir sein Kommen im Geist über jeden von uns wahrnehmen« (Origenes).[67]

»Das was der makellosen Jungfrau geschah, als die Fülle der Gottheit Christi über ihr erschien, vollzieht sich in jeder Seele, wenn sie als Lebensregel ein jungfräuliches Leben führt. Nicht immer muß der Herr körperlich anwesend sein.

Wir kennen Christus nicht im Fleische (vgl. 2 Kor 5,6); doch im Geiste wohnt er unter uns und bringt seinen Vater mit, wie es an einer Stelle im Evangelium heißt (Joh 14,23).

Diese Geburt kommt von Gott. Und sie geschieht jedesmal, wenn die Unsterblichkeit des Geistes als Lebensgrundlage im Herzen eines Menschen erkannt wird; dann wird er geboren zu Weisheit, Gerechtigkeit, zu Heiligkeit und größerer Reinheit. So kann jeder Christ Mutter dessen sein, der das Wesen aller Dinge ist; denn der Herr sagt selbst: Wer immer den Willen meines Vaters im Himmel erfüllt, der ist meine Mutter (vgl. Mk 3,35; Mt 12,50)« (Gregor von Nyssa).[68]

»(Jeder Christ) empfängt Gott im Herzen« (Augustinus).[69]

»So wie die gesegnete Maria, die von solcher Reinheit war, daß sie

verdiente, die Mutter Gottes zu sein, kannst auch du Mutter des Herrn werden« (Hieronymus).[70]

»Wenn die Seele anfängt sich Christus zuzuwenden, heißt sie ›Maria‹. Das bedeutet, sie hat den Namen der Frau, die Christus in ihrem Leibe trug; denn sie wurde zu einer Seele, die auf geistige Weise Christus gebären wird.

Trag Sorge dafür, daß du den Willen des Vaters erfüllst, so kannst du zur Mutter Christi werden« (Ambrosius).[71]

»Wer die Wahrheit predigt, ist vor allem Mutter Christi, denn der gebiert gleichsam unseren Herrn, der in das Herz der Hörer eindringt. Und der ist die Mutter Christi, der durch seine Worte die Gottesliebe in den Herzen der Mitmenschen erweckt« (Gregor der Große).[72]

»Die Kirche erleidet Schmerzen und Wehen, bis Christus in uns Gestalt annimmt und geboren ist, sodaß jeder der Heiligen, wenn er teilhat an Christus, Christus neu gebiert« (Methodius).[73]

3.

Maria – die neue Eva

»Heil dir Maria, Mutter allen Lebens! Bitte für uns«
(Theotokia vom Sonntag)

Die Kirche nennt Maria »die Mutter allen Lebens«, »Mutter des neuen Lebens« und »zweite Eva«.

Eva verlor den Anspruch, der sich aus ihrem Namen ergab: »Mutter allen Lebens« (Gen 3,20) zu sein. Durch ihren Ungehorsam Gott gegenüber erhielt sie für ihre Kinder den Tod anstelle des Lebens und wurde so die Mutter des Todes. Ihre Tochter, die heilige Maria, trat an ihre Stelle, da sie durch ihren Glauben, ihren Gehorsam und ihre Demut im Heiligen Geist die Mutter des Lebens wurde. Sie gab den Kindern Adams Speise vom »Baum des Lebens« (vgl. Gen 2,9; Apk 2,7) und damit ewiges Leben.

Durch das Mysterium der göttlichen Inkarnation wurde Maria »die Mutter des Hauptes des mystischen Leibes und die Mutter seiner

Glieder«, wie Augustinus sagt[74], und empfing so die Mutterschaft im Hinblick auf alle Gläubigen.

Die heiligen Väter sahen in Mariens Leib das Brautgemach, den Ort, an dem der himmlische Bräutigam mit seiner Braut, der Kirche, mystisch vereint ist. So sehen wir Christus, ihren Sohn, als unseren Bräutigam und erstgeborenen Bruder, und seine Mutter Maria als unsere eigene Mutter.

»Der Logos ist mit dem Fleisch vereint, der Logos ist dem Fleisch vermählt und das Brautgemach dieser erhabenen Hochzeit ist dein Leib. Laß mich wiederholen: das Brautgemach der erhabenen Hochzeit zwischen Logos und Fleisch ist dein Leib, aus dem der Bräutigam hervorging aus seinem Brautgemach« (Augustinus).[75]

»Gottvater bereitete diese Hochzeit für Gott, seinen Sohn, als er ihn im Leib der Jungfrau mit dem Menschsein vereinte, als er wollte, daß er, der Gott war vor aller Zeit, am Ende der Zeiten Mensch werden sollte ...

Er vereinte die Kirche mit ihm durch das Mysterium der Inkarnation. Nun war das Brautgemach dieses Bräutigams der Leib der jungfräulichen Mutter. Darum sagt der Psalmist: Er setzte sein Zelt in die Sonne, als Bräutigam tritt er aus dem Brautgemach (Ps 18,6).

Und er war in der Tat ein Bräutigam, der aus dem Brautgemach hervorkam, weil er es tat, um die Kirche mit sich zu vereinen. Der fleischgewordene Gott ging aus dem unverletzten Leib der Jungfrau hervor« (Gregor der Große).[76]

Diese Beziehung zwischen der neuen Eva und allen Gläubigen wird deutlich durch den zweiten Adam am Kreuz, wenn er zur neuen Eva sagt: »Frau, siehe deinen Sohn!« und zu den Gläubigen: »Johannes, siehe da deine Mutter!«

Durch das Kreuz erhielten wir unsere neue Eva von Gott, weshalb Tertullian sagt: »Gott wußte, daß es nicht gut ist, wenn der Mensch allein bleibt, und wie gut es wäre, wenn er eine Gefährtin hätte; zuerst Maria, dann die Kirche.«[77]

Wir nehmen Maria als unsere neue Eva an, um mit Adam zu unserem Gott zu sagen: Die neue Eva, die du mir als Gefährtin gabst, sie gibt mir Speise vom Baum des Lebens, der das Kreuz ihres Sohnes ist.

Origenes sieht, daß jeder gute Christ wie der Apostel Johannes Maria als seine Mutter vom gekreuzigten Herrn annehmen kann. Er erklärt die Worte »Siehe da deinen Sohn!«: »Wer gut ist, lebt nicht länger nur für sich und, da Christus in ihm lebt, wird zu Maria über ihn gesagt: Siehe da dein Sohn!«[78]

Man kann die Ursprünge der Eva-Maria-Parallele bis auf Papias, Bischof von Hierapolis (um 100), zurückführen.[79] Im 2. Jahrhundert lenkt Justin der Märtyrer im Dialog mit dem Juden Tryphon die Aufmerksamkeit auf diese Parallele:

»(Der Sohn Gottes) wurde Mensch durch die Jungfrau, damit der Ungehorsam, den die Schlange hervorrief, in der Weise zerstört wurde, in der er erstanden ist.«

Eva nämlich empfing noch als Jungfrau das Wort der Schlange und gebar Ungehorsam und Tod; doch die Jungfrau Maria war von Glauben und Freude erfüllt, als der Engel Gabriel ihr sagte, der Geist des Herrn käme über sie und die Kraft des Allerhöchsten würde sie überschatten, und deshalb würde das Heilige, das sie gebären werde, der Sohn Gottes sein. Und so sagte sie: »Mir geschehe wie du gesagt hast« (Lk 1,35).[80].

Irenäus von Lyon (um 200), der die Eva-Maria-Parallele in die Theologie eingeführt hat, meint:

»Auch als Frau Adams war Eva (im Paradies noch) Jungfrau, wurde aber durch ihren Ungehorsam Ursache ihres eigenen Todes und des Todes des ganzen Menschengeschlechts. Auch Maria war als Verlobte noch Jungfrau und wurde durch ihren Gehorsam Ursache der Erlösung, ihrer eigenen und der Menschheit . . .

Der Knoten von Evas Ungehorsam wurde durch den Gehorsam Mariens gelöst; denn was die Jungfrau Eva im Unglauben band, löste die Jungfrau Maria durch den Glauben.«[81]

Nach Irenäus hat Maria einen ganz bestimmten Platz im Heilsplan Gottes, da sie Gott ihre freie Entscheidung anbot, ihren Gehorsam, den der Glaube ihr auftrug, weshalb man sie auch die »Advokatin Evas« nennt. »Während Eva Gott ungehorsam war, gehorchte Maria Gott; die Jungfrau Maria wurde so die Advokatin der Jungfrau Eva.« Ähnlich schreibt Tertullian:

»So schlüpfte der Teufel in die Eva, die noch Jungfrau war, um ein Gebäude des Todes zu errichten; ebenso kam der Logos Gottes durch eine Jungfrau in die Welt, um ein Bauwerk des Lebens zu errichten. Was durch das Geschlecht (einer Frau) verloren ging, wurde vom gleichen Geschlecht wiederhergestellt und geheilt.

Eva glaubte der Schlange, Maria glaubte Gabriel. Das was die eine durch Ungehorsam zerstörte, brachte die andere durch den Glauben in Ordnung ... Deshalb sandte Gott seinen Logos, unseren Bruder, in den Leib der Jungfrau, um die Erinnerung an das Böse auszulöschen.«[82]

Origenes lobt Maria als die »Wiederherstellerin der Ehre der Frauen«, die sie durch Evas Sünde verloren hatten:

»Die von Gabriel an Maria (durch den Gruß χαῖρε = Freue dich!) *verkündete Freude zerstörte den Fluch des Leidens, den Gott Eva gegenüber aussprach.*

So wie die Sünde mit der Frau begann und dann den Mann erreichte, hatten auch die guten Nachrichten ihren Anfang bei Frauen (Maria und Elisabeth) genommen.«[83]

Im 4. Jahrhundert erwähnt Zeno von Verona diese Parallele, aber in einem neuen Zusammenhang:

»Weil der Teufel Eva verwundet und verdorben hatte, indem er mit Verführung in ihr Ohr kroch, betrat Christus Mariens Ohr und vernichtete alle Fehler der Herzen. Er heilte die Verwundung der Frau, als er aus Maria geboren wurde.«[84]

Ephräm der Syrer entwickelte die Eva-Maria-Parallele weiter:
»Eva kleidete sich mit den Blättern der Schande. Deine Mutter hat sich selbst in Jungfräulichkeit, mit dem Schleier der Glorie, der für alle ausreicht, bekleidet.«

»Mit dem Auge erkannte Eva die Schönheit des Baumes und der Rat des Todes kam in ihr Gemüt ... Mit dem Ohr empfing Maria das Unsichtbare, das mit der Stimme kam. Sie empfing in ihrem Leib die Kraft, die über sie kam.«

»Laßt Eva, unsere erste Mutter, jetzt hören und zu mir kommen. Laßt sie ihr Haupt erheben, das unter der Schande des Gartens gebeugt wurde. Laßt sie ihr Gesicht enthüllen und sie euch danken, weil ihr ihre Verirrung von ihr nahmt. Laßt sie die Stimme des vollkommenen Friedens hören, weil ihre Tochter ihre Schuld bezahlt hat.«[85]

»Die Schlange und Eva gruben ein Grab und stießen den schuldigen Adam in die Hölle, doch Gabriel kam und sprach mit Maria. Darauf wurde das Mysterium offenbar, durch das alle vom Tod erstanden.«[86]

»Gottes Eden ist Maria; in ihm bereitet die Schlange kein Übel ...

Es gibt keine tötende Eva mehr, kommt doch von ihm der Baum des Lebens, der die Vertriebenen ins Paradies zurückbringt.«[87]

Die Ansichten der zitierten Väter kehren in den Schriften von Ambrosius, Hieronymus, Augustinus, Epiphanius von Salamis und anderen wieder, aus denen hier folgende Stellen zitiert werden:

»Eva wird die Mutter des Menschengeschlechtes genannt, Maria die Mutter der Erlösung« (Ambrosius).[88]

»Als die Jungfrau empfangen und ihren Sohn geboren hatte für uns ... war der Fluch gebrochen. Der Tod durch Eva, das Leben durch Maria!« (Hieronymus).[89]

»Maria war in Eva. Aber erst als Maria kam, wußten wir, wer Eva war« (Augustinus).[90]

»Eva verläßt sich auf Maria, und ihr Name Mutter allen Lebens war ihr Ahnung des Zukünftigen; denn das Leben wurde von Maria geboren, daher wurde sie in Wahrheit Mutter allen Lebens. Wir können das Wort: ›Feindschaft will ich setzen zwischen dir und dem Weibe‹ (Gen 3,15) nicht auf Eva allein beziehen; denn es findet seine Vollendung, als der ganz Heilige kam, geboren aus Maria« (Epiphanius von Salamis).[91]

»Die Frau (Eva) fand in einer Frau (Maria) eine Fürsprecherin« (Gregor von Nyssa).[92]

4.

Maria – voll der Gnade

1. *Das Geheimnis der Freude.* Bei der Verkündigung begrüßte der Engel die Gottesmutter mit den Worten: »Freue dich! (Gegrüßet seist du!), voll der Gnade; der Herr ist mit dir; gesegnet bist du unter den Frauen.«

Im Alten Testament richteten einige Propheten denselben Gruß, nämlich »Freue dich!« (χαῖρε) an die »Tochter Sion«, um sie zum Jauchzen und Jubeln über die messianische Befreiung aufzufordern: »Juble laut, Tochter Sion, freue dich von ganzem Herzen, Tochter Jerusalem! Der Herr, dein Gott, ist in deiner Mitte« (Sophonias

3,14.17), und: »Juble mit Herz und Seele, Tochter Sion ... Ich komme und werde wohnen in deiner Mitte« (Zacharias 9,91).

Und jetzt lädt der Engel Gabriel die wahre Tochter Sion, Maria, ein, sich von Herzen zu freuen, weil der Messias in ihr wohnen wird, ihr Erlöser und Gott; also wegen ihrer Mutterschaft zum Sohne Gottes.

Das Geheimnis der Freude, das Maria im Augenblick der göttlichen Inkarnation empfing, wird in der koptischen Liturgie, in den Hymnen, aber auch in der Kunst, deutlich; was wir im letzten Kapitel erläutern wollen.

2. *Das Heiligsein Mariens.* Die Vorstellung von der Heiligkeit der Gottesmutter ist verbunden mit dem Gedanken an ihre Mutterschaft, ihrer immerwährenden Jungfräulichkeit, ihrer persönlichen Verbundenheit mit den Gläubigen und ihrer Stellung als Typus der Kirche.

Wir sehen Mariens Mutterschaft als Frucht der Verbindung zwischen der freien Gnade Gottes und ihrer gläubigen Unterordnung im Gehorsam gegenüber Gott. Auf wunderbare Weise verwirklicht Gott die göttliche Inkarnation als Geschenk an die Menschen (Lk 1,28–35).

Durch die Gnade Gottes erhielt Maria die Bereitschaft, ihn in Körper und Geist zu empfangen. Die Gnade heiligte Maria, so daß sie in Wahrheit die »Ganzheilige« (Panagia) wurde, in der Gott wohnte, der zweite Himmel, die Mutter von »Leben, Licht und des Einen Heiligen«. Um der Menschen willen unterwarf sie sich Gottes Botschaft und seinem Handeln (Lk 1,38).

Im Augenblick der Inkarnation erhielt Maria eine einzigartige Vollkommenheit durch die Gegenwart des Sohnes Gottes, des Urhebers der Gnade.

»Wahrlich, sie allein ist voll der Gnade zu nennen, einer Gnade, die niemand sonst erhielt, da sie den Urheber der Gnade (in sich) trug« (Ambrosius).[93]

»Voll der Gnade! Sei gegrüßt! Deine Gnade ist den einzelnen Menschen nur in kleinen Mengen zugemessen. Doch über Maria ist sie in aller Fülle ausgegossen« (Petrus Chrysologus).

»Maria trug Feuer in ihren Händen; sie umarmte die Flamme; sie gab der Flamme ihre Brust: dem Ernährer aller gab sie Milch. Wer kann von ihr erzählen?« (Ephräm der Syrer).[94]

Abb. 4. Modernes koptisches Muttergottes-Triptychon.

»Bekleidet mit einem Schleier von göttlicher Gnade, die Seele erfüllt mit göttlicher Weisheit, im Herzen Gott vermählt, empfing sie Gott in ihrem Leib« (Theodosius von Ancyra).[95]

Dieser Gedanke und die Beziehung zwischen der Heiligkeit Mariens und ihrer Gottesmutterschaft findet in den koptischen Hymnen ihren Ausdruck; sie geben der Theotokos viele Namen, um ihre Heiligkeit auszudrücken:

»Sei gegrüßt, du neuer Himmel, von dem die Sonne der Gerechtigkeit scheint, der Herr aller Menschheit« (Aus der Weihnachtsliturgie).[96]

»Sei gegrüßt, Maria, wunderbare Taube, die Gott den Logos gebar« (In der Heiligen Woche).[97]

»Höher als der Himmel bist du und ehrwürdiger als die Erde und alle ihre Geschöpfe, denn du wurdest die Mutter des Erlösers.

Kein anderes Wesen wurde Gottes Mutter, obwohl du ein Erdenwesen bist, wurdest du des Schöpfers Mutter« (Segenshymne).

Ihre Jungfräulichkeit steht in Beziehung zu ihrer Heiligkeit, so wie es in den Schriften der alexandrinischen Väter über die Jungfräulichkeit ausgeführt wird. »Sie war eine Jungfrau«, sagt Ambrosius, »nicht nur dem Leib nach, sondern auch dem Geiste nach, dessen reines Gemüt niemals von Betrug befleckt war.«[98]

Der orthodoxe Gläubige spürt, daß die Heiligkeit Mariens nicht nur Lehre ist, die er aus Büchern entnimmt, sondern er sieht sie als etwas Persönliches, in einer ständigen Verbundenheit mit Maria im täglichen Leben.

Der koptische Gläubige betrachtet sie als seine eigene Mutter, die heilige Königin des Himmels, zu der er um erlösende Hilfe betet. Sie ist die heilige Mutter, die sich nach der Heiligkeit ihrer Kinder sehnt.

Und nicht zuletzt ist Maria heilig insofern, als sie als »Tochter Sion« voll der Gnade, die heilige Kirche symbolisiert. Sie symbolisiert die Braut Christi, seinen mystischen Leib, die von ihm gegründete geistliche Einrichtung, die erfüllt ist von der Gnade des Heiligen Geistes.[99]

3. *Maria und die Sünde.* Einige der Väter sahen Maria nicht ohne Fehler, so Irenäus, Origenes, Johannes Chrysostomus; doch ihre Ansichten decken sich nicht mit der allgemeinen mariologischen Tradition der frühen Kirche.

Die Kirche sah die Heiligkeit Mariens als einzigartig an; sie übertraf die himmlischen Kreaturen, sogar die Cherubim und Seraphim.

Sie verbrachte ihr »Leben in Heiligkeit, als wahre Stütze des Bundes, deren Lade aus unverrottbarem Holz, innen und außen vergoldet ist«.[100]

Das Folgende sind einige Stellen aus den Schriften der heiligen Väter zu diesem Punkt:

»Ich wage es aus Ehrfurcht von unserm Herrn nicht, nach der Sünde der heiligen Jungfrau Maria zu fragen« (Augustinus).[101]

»Wie könnte ich das Bild dieser schönen, herrlichen Frau mit gewöhnlichen Farben malen ... zu schön, zu außergewöhnlich ist das Abbild ihrer Schönheit ... Sie war weise, erfüllt von Gottesliebe ... Sie war nie befleckt von niedrigeren Begierden, blieb standhaft von Kindheit an, ging den rechten Weg ohne Fehler und ohne zu stolpern« (Jakob von Sarug).[102]

»Der Logos des Vaters entsprang seinem Schoß; in einem anderen (Schoß) nahm er Fleisch an. Von einem Schoß kam er, um aus dem anderen zu entspringen. Gesegnet sei, der in uns wohnt!« (Ephräm der Syrer).[103]

4. *Maria und die Erbsünde.* Die orthodoxe Kirche mit ihrer tiefverwurzelten Marienverehrung betrachtet die Gottesmutter als ein Geschöpf, das heiliger ist als alle anderen himmlischen Kreaturen und die doch ein Mitglied des Menschengeschlechtes darstellt. Wir stellen sie nicht auf ein Podest weit ab von den Menschen, so als ob sie nicht menschlichem Samen entsprungen sei und ohne Erbsünde geboren wurde. Diese Tatsache wird deutlich in der folgenden Theotokia[104] der koptischen Liturgie:

»Wie tief ist Gottes Erbarmen und Weisheit, daß der Leib unter dem Gericht Kinder in Schmerzen gebären muß. Sie aber wurde Quelle der Unsterblichkeit, da sie den Emmanuel gebar ohne Menschensamen, damit er die Verderbnis unserer Natur zerstöre.«

Die orthodoxe Kirche unterscheidet zwischen dem Leben Mariens vor und nach der Menschwerdung des Sohnes Gottes. In einer anderen Theotokia (für den Samstag) heißt es:

»Der Heilige Geist erfüllte dich vollkommen, jeden Teil deiner Seele, deines Leibes, o Maria, Mutter Gottes.«

Die Gottesmutter gab selbst ihrer Freude gegenüber Gott, ihrem

Schöpfer, Ausdruck, denn auch sie brauchte Erlösung. Dazu sagt Ambrosius:

»Als der Herr die Welt erlösen wollte, begann er sein Werk an Maria, damit sie, durch die Erlösung für alle bereitet, als erste die Früchte der Erlösung durch ihren Sohn gewann.«[105]

Ähnlich meint Augustinus:

»Maria entsprang Adam und starb als Folge der Sünde. Adam starb infolge der Sünde. Das Fleisch des Herrn entsprang Maria und starb, um die Sünde zu zerstören.«[106]

Diese orthodoxe Auffassung bewahrt vor jeglicher Übertreibung und Verwechslung zwischen Christus und seiner Mutter. Kein orthodoxer Theologe nennt Maria »Miterlöserin« (Coredemptrix); es gibt keinen Gottesdienst zu ihren Ehren, nur Verehrung und Lobpreisung. Mit anderen Worten: Die orthodoxe Kirche unterscheidet deutlich zwischen Christus und seiner Mutter, der heiligen Maria.

5.

Maria – unsere Mittlerin

1. *Der Begriff Fürsprache.* In unserer orthodoxen Kirche kennen wir keinen anderen Mittler zwischen Gott und seinem Volk als Jesus Christus, den einzigen Hohenpriester im Himmel, durch dessen Opferblut wir Versöhnung und Vergebung der Sünden erlangen. Es gibt keinen anderen Namen unter der Sonne, durch den wir gerettet werden können, außer Jesus Christus (vgl. Apg 4,12).

Man wird nun fragen: Wenn dem so ist, warum bitten denn die Gläubigen in den Gebeten der Kirche um die Fürsprache Mariens und anderer Heiligen?

Das Evangelium zielte seinem Geist und seinem Wortlaut nach darauf hin, den Menschen zur Erfahrung göttlichen Lebens, das heißt der göttlichen Liebe, zu führen. Der Mensch muß sein Selbst beiseitestellen und so durch den Heiligen Geist sein ganzes Leben zur Erlösung seiner Brüder hingeben. Mit anderen Worten: Leben nach dem Evangelium ist ein Leben für die anderen, ein Mittlerleben, indem der gläubige Mensch sein Bestes durch Beten und Tun leistet, damit jeder das Innerste der Gottheit in Herrlichkeit erreicht.

Dies genau ist der Sinn von »Mittlerschaft«. So wie die Seele Gott näher kommt, nähert sie sich in inniger Vereinigung mit Jesus Christus den anderen und betet für sie, bittet um ihre Erlösung. Dies meint Makarius, wenn er sagt, keiner könne ohne den anderen die Erlösung erlangen. »Wir alle beten füreinander: Eltern leiten ihre Kinder an, sind eifrig um ihre Rettung besorgt; sie beten für sie. Wir sind, wie Paulus sagt ›Gottes Mitarbeiter‹ (1 Kor 3,9). Jeder von uns vermittelt; er ist ein Gnadenvermittler für die anderen.«[107]

Wir brauchen nur auf unseren Herrn Jesus zu schauen, um hinsichtlich der Fürbitte der anderen etwas zu erfahren. So heilte er z. B. den Gelähmten wegen der Fürsprache derer, die ihn brachten (vgl. Mt 9,2). Er heilte den Knecht des Hauptmanns, weil sein Herr für ihn bat (vgl. Mt 8,5) und die Tochter der Kanaaniterin als Antwort auf das Weinen ihrer Mutter. Gott, der die Menschen liebt, schenkt großzügig; er möchte aber haben, daß wir sind wie er, indem wir die anderen lieben und mehr für sie als für uns bitten.

Liebe im Evangelium ist gepaart mit Demut. Daraus folgt, daß wir uns nicht würdig fühlen sollen, für andere zu beten; doch bitten wir sie, daß sie für uns beten.

Obwohl Paulus wußte, daß er von Gott in sein Amt berufen wurde, bat er in seinen Briefen immer wieder um die Fürbitte der Menschen, damit der Herr ihm bei der Verkündigung des Evangeliums zur Seite steht (vgl. 2 Thess 3,1–2).

Um es kurz zu sagen: Die Fürsprache der Heiligen verstärkt nach unserer Auffassung die Wirksamkeit der Erlösungstat Christi im Leben jedes Gläubigen und schließt zugleich jeden Gedanken einer Anbetung der Heiligen aus. Die Kirche bildet eine Einheit; sie bildet einen Leib mit seinen Gliedern. Alle leiden, wenn eins von ihnen verletzt ist und freuen sich über die Ehre der anderen (vgl. 1 Kor 12,26f.).

2. *Das Geheimnis ihrer Fürsprache.* Aus dem Vorausgehenden haben wir gesehen, daß das Gebet der Mutter Gottes, wenn wir das Prinzip der Fürbitte ganz allgemein anerkennen, für die Errettung ihrer Kinder aus all ihrer Not erfolgreich sein muß.

Wir haben gesehen, daß sie den menschgewordenen Sohn Gottes

empfing und Mutter seines Leibes, der Kirche, wurde. Diese Mutterschaft ist nicht nur ein Ehrentitel, sondern eine Verantwortung für ein nie endendes Werk. Dies ist gemeint, wenn der greise Simeon der Jungfrau Maria prophezeite: »Auch deine eigene Seele wird ein Schwert durchdringen« (Lk 2,35).

Die Mutterschaft der Jungfrau, die durch die Gnade Gottes aus der ganzen Menschheit auserwählt wurde, begann und wurde Wirklichkeit durch ihren Glauben an Gottes Wort und sein Versprechen. Diese Einstellung machte Maria zum hervorragenden Glied am Leibe Christi; sie antwortet auf die Nöte der anderen Glieder und sucht nach Errettung und Hilfe für alle.

3. *Grenzen ihrer Fürbitte.* In der Erzählung von der Hochzeit zu Kana können wir Grenzen der Fürbitte der Mutter und Jungfrau Maria erkennen. So bittet sie: »Sie haben keinen Wein mehr«. Natürlich hatte der Herr dies längst bemerkt und sicher mußte er auch nicht an die Not seiner Kinder erinnert oder daraufhin angesprochen werden. Doch unserem Herrn Jesus, der voller Liebe ist, gefiel es, auf diese Liebe zwischen seiner Mutter und seinen Kindern zu schauen.

Sie fragte nur ein einziges Mal; doch er antwortete: »Frau, was wendest du dich an mich? Meine Stunde ist noch nicht gekommen.« (Joh 2,4). Die Antwort des Herrn ist kennzeichnend, was die Fürbitte Mariens angeht. Sie zeigt klar das Vertrauen der Mutter in ihn; denn sie wiederholt die Bitte nicht, sondern sagt voll Zuversicht zu den Dienern: »Tut, was immer er euch sagt!« Sie war sicher, daß ihr Sohn die Bitte erfüllen würde.

Durch ihr Gespräch mit den Leuten bei der Hochzeit zu Kana können wir uns eine Vorstellung von ihrer Rolle bei der Fürsprache machen. Dies heißt zugleich, ihre Fähigkeit anzuerkennen, unsere Herzen zu bewegen, damit wir die Gebote ihres Sohnes befolgen: »Tut, was immer er euch sagt!« (Joh 2,5).

6.

Maria – Vorbild der Jungfrauen

Die heiligen Väter von Alexandrien repräsentieren zwei mariologische Richtungen: die theologische und die asketische. In den Zeiten der Verfolgung und der Märtyrer stand in Ägypten die Askese im Vordergrund. Die Männer zogen das Leben in der Wüste vor, während die jungen Frauen in klösterlichen Gemeinschaften in den Städten lebten. So war es ganz natürlich, daß Maria diesen jungen Frauen als ein großes Beispiel, dem sie nachfolgen sollten, hingestellt wurde. Sie verehrten sie als »Jungfrau der Jungfrauen« und als ihre Schutzherrin.

Im 2. Jahrhundert sagt der große Origenes: »Es wäre unziemlich, andere als die Jungfrau (Maria) mit dem Attribut ›Erstling christlicher Jungfräulichkeit‹ auszustatten.«[108] Und Alexander von Alexandrien meint: »Ihr habt als Vorbild das Leben Mariens, die das Urbild und Abbild des Lebens ist, wie es im Himmel sein wird (d. h. der Jungfräulichkeit).«[109]

Im »Brief an die Jungfrauen«, der in Koptisch erhalten ist, beschreibt Athanasius Maria als das Vorbild der Jungfrauen, und ihr Leben, wie es nicht in der Bibel erscheint, als Vorbild für das Leben einer Jungfrau; er sagt:

»Maria war Jungfrau mit allen guten Anlagen. Sie liebte gute Werke ... Sie wollte nicht von Männern angesehen werden; doch bat sie Gott, sie zu prüfen ... Sie blieb stets zu Hause, lebte zurückgezogen, war fleißig wie eine Biene ... Sie verteilte unter die Armen von dem, was ihre Hände schufen ... Sie betete eifrig zu Gott um zwei Dinge: er möge in ihr keinen bösen Gedanken erlauben und ihr Herz weder kühn noch hart werden lassen ... Ihre Sprache war ruhig und bescheiden ... Sie wollte jeden Tag Fortschritte machen; so geschah es denn auch, wenn sie am Morgen aufstand, daß sie sich vornahm, ihre Arbeit noch besser als zuvor zu machen ... Sie fürchtete den Tod nicht, doch war sie traurig, weil sie die Schwelle des Himmels noch nicht überschritten hatte.«[110]

Ambrosius von Mailand malt in seiner Auslegung des Athanasius-Briefes an die Jungfrauen in seiner Schrift »De virginibus« (Liber II)

Abb. 5. Textilstreifen: Mariä Verkündigung (6. Jahrh.).

ein schönes Bild von der Jungfrau Maria, als des Vorbildes aller Jungfrauen.[111] Er preist Maria ob ihrer Güte, ihres Schweigens, ihrer Zurückhaltung in der Rede, im Leben, ob ihres jungfräulichen Eifers, einen unbefleckten Ruf zu bewahren, ob ihrer Bescheidenheit, ihr Bemühen, die Heilige Schrift zu lesen, ob ihres Respekts vor den anderen, ob ihres Fleißes und ihrer besonderen Art des Glaubens und der Gottesverehrung; und schließt wie folgt seine Ausführungen: »So habt denn vor Augen das Leben der Jungfrau Maria als einem Bild, von dem wie von einem Spiegel das Leuchten der Reinheit und das Urbild der Tugend zurückerscheint.«

Gregor von Nazianz erzählt in einer 379 in Konstantinopel gehaltenen Predigt, wie die Märtyrerin und Jungfrau Justina im Angesicht des Todes mit dem Zauberer Cyprian, den sie bekehrt hatte, Christus ihren Bräutigam als Beschützer anrief und »als eine Jungfrau in Gefahr« zur Jungfrau Maria betete. Sie betrachtete sie nämlich als die Patronin der Jungfrauen.[112]

7.

Maria und die Kirche

In der Theotokia vom Donnerstag singt die koptische Kirche:

»Sie brachte Gott, dem Schöpfer, den Logos des Vaters dar, den menschlichen Anteil. Er wurde Fleisch aus ihr ohne Veränderung. Sie gebar ihn als Kind und er wurde Emmanuel genannt.«

Im Augenblick der Verkündigung gab Maria ihren freien Willen auf; durch sie verwirklichte Gott seinen Platz der Vereinigung mit uns, sein Sich-Selbst-Hingeben, um eins mit uns zu werden. Nach Augustinus wurde der Leib Mariens Brautgemach der einzigartigen Hochzeit zwischen dem Logos Gottes und unserem Fleisch. Dort vereinte er die Kirche, seinen Leib, mit sich, und so verwirklichte sich das Mysterium der Kirche ganz und gar. So verstehen wir die Worte des heiligen Ephräms des Syrers: »Maria war die Mutter der Erde, welche die Kirche hervorgebracht hat.«

Als Ergebnis dieser hypostatischen Union zwischen der Gottheit und der Menschheit erreichte Maria eine besondere Art der Vereinigung mit Gott und sich selbst, eine Einheit zwischen der Erlösten und dem Erlöser, zu deren Erreichung die ganze Kirche aufgerufen ist.

Maria erhielt als Vertreterin der gesamten Kirche gewissermaßen diese besondere Gnade; als ihr erstes Mitglied ist sie zugleich das ideale und höchste Mitglied. Aus diesem Grund erhielt sie auch die höchste Gnade.

1. *Maria als Typus der Kirche.* Die Haupthymne, die täglich im Marienmonat (Keyahk) vor dem Weihnachtsfest gesungen wird, besteht aus einer Sammlung von Texten und Psalmversen, welche die

Kirche als den heiligen Wohnort des fleischgewordenen Logos bezeichnen. Ephräm der Syrer gibt der Kirche die Attribute der Gottesmutter; er sagt:

»Gesegnet bist du, Kirche, von der Isaias in seinen prophetischen Liedern sagt: Siehe, eine Jungfrau wird empfangen und einen Sohn gebären. O verborgenes Geheimnis der Kirche!«[113]

Auch Kyrill von Alexandrien bringt Maria mit der Kirche in Verbindung und sagt:

»Laßt uns mit Liedern die ewig jungfräuliche Maria preisen, welche die heilige Kirche selbst ist, mit ihrem Sohn und reinstem Bräutigam. Gott sei ewig Lob und Preis!«[114]

Ambrosius nennt sie den »Typus der Kirche«[115] und Augustinus meint: »Maria ist ein Teil der Kirche, ein heiliges Mitglied, ein ausgezeichnetes Mitglied, das herausragendste Mitglied und doch ein Glied des ganzen Körpers.«[116]

Das ganze Leben der Gottesmutter kann als ein wundervolles Bild der gesamten Kirche betrachtet werden. Hier einige Hinweise:

Mariens Freude, ihr Hymnensingen zur Verkündigung sind nach Irenäus prophetische Handlungen, die sie im Namen der Kirche vollzog.[117] Jakob von Sarug gibt diese Ansicht wie folgt wieder: »Die weise Jungfrau war der Mund der Kirche.«

Mariens Besuch bei ihrer Base Elisabeth ist ein Symbol für die Missiontätigkeit der Kirche in der ganzen Welt. Denn die Kirche muß wie Maria, die Tochter Sion, eine arme Jungfrau, eine Magd des Herrn, voll der Gnade und geistig den Logos Gottes tragend, vom Wunsch erfüllt sein, mit den »Verwandten«, den Menschen, in Verbindung zu treten, um die Erlösungstat Gottes zu verkünden. »Wie schön sind ihre Füße auf dem Berg; sie bringen frohe Botschaft, verkünden Frieden ... sie sagen zu Sion: Dein König herrscht« (Is 52,7).[118]

Nach Ambrosius wird die Identifikation Mariens mit der Kirche unter dem Kreuz vollständig:

»Du wirst der Sohn des Donners sein, wenn du ein Sohn der Kirche bist. So mag Christus vom Holz des Kreuzes aus zu dir sprechen: Siehe, deine Mutter! Möge er auch zur Kirche sagen: Siehe, deinen Sohn! Von da an wirst du der Sohn der Kirche sein, wenn du den siegreichen Christus am Kreuze siehst.«[119]

2. *Die Analogie zwischen Maria und der Kirche.* Die Gottesmutter

und die Kirche sind beide Jungfrau und Mutter zu gleicher Zeit; jede von ihnen empfing vom Heiligen Geist ohne menschlichen Samen und gebar den unbefleckten Sohn. Maria ist die Mutter des göttlichen Logos, den sie hinsichtlich seiner Menschlichkeit schuf, die Kirche ist die Mutter ihrer Mitglieder, die sie durch die Taufe zum Leben erweckt, zur Teilnahme am Leben Christi. Diesbezüglich sagt Augustinus:

»So wie Maria den gebar, der dein Haupt ist, so gebiert die Kirche dich. Denn die Kirche ist beides: Jungfrau und Mutter. Mutter im Leib unserer Liebe, Jungfrau in ihrem unverletzlichen Glauben. Sie ist Mutter vieler Völker, die schon ein Leib sind, so wie die Jungfrau Maria, die Mutter vieler, doch nur des Einen ist.«[120]

Die Kirche hat den gleichen Titel wie Maria, nämlich »neue Eva«. Denn Maria gebar den fleischgewordenen Sohn, der den Gläubigen das Leben gibt, während die Kirche Mutter jener Gläubigen ist, die »Leben« durch die Einheit mit ihrem Haupt, dem fleischgewordenen Gott, erhalten.

Wie Maria ist die Kirche »Magd des Herrn«. Doch soll sie als bescheidene Magd allen Bestrebungen widerstehen, die aus menschlichem Machtbedürfnis kommen, und so ein reines Zeichen der göttlichen Gnade sein, die sich um uns in unseren bescheidenen irdischen Verhältnissen bemüht, um uns in die Herrlichkeit seines Reiches zu führen.[121]

Beide, Maria und die Kirche, werden »die eine Heilige« genannt. So interpretiert Hippolyt die Segenssprüche des Moses: »Durch Gottes Segen soll sein Land sein bleiben und vom Tau des Himmels gesegnet werden« (Deut 33,13) als eine Prophetie auf die Heiligkeit Mariens hin; denn sie ist gesegnetes Land, das den Logos Gottes wie himmlischen Tau empfing. Er stellt auch fest, daß diese Weissagung sich auf die Heiligkeit der Kirche bezieht, denn sie ist vom Herrn gesegnet als ein heiliges Land und ein Paradies der Glückseligkeit. Der Tau ist der Herr, der Erlöser selbst.[122]

8.

Maria in den koptischen Hymnen

Es ist schwierig, in dieser kurzen Abhandlung den hervorragenden Platz, den die Gottesmutter in der koptischen Kirche einnimmt, vollständig zu schildern. Wird doch Maria erwähnt und angerufen in jedem täglichen Hymnus und jedesmal in der Meßliturgie, ebenso in allen kanonischen Stundengebeten am Tag und in der Nacht. Der Reichtum und die Schönheit der Marienhymnen sind bemerkenswert, besonders derer des Marienmonats Keyahk vor Weihnachten.

1. *Maria in den täglichen Hymnen.* Die koptische Kirche legt besonderen Wert auf das Hymnensingen als einen Ausdruck der himmlischen Natur, die wir Christen durch die Einheit mit dem auferstandenen Christus erhalten haben. Seit den ersten Jahrhunderten hat sie verschiedene Hymnen für jeden Tag der Woche ausgebildet, welche die Herzen der Gläubigen zum Himmel erheben und sie bereit machen sollen, an der eucharistischen Liturgie teilzunehmen. Diese einfachen, lieblichen Gesänge wurden auch zur Unterrichtung des Volkes über den rechten Glauben und zur Abwehr von Irrlehren benutzt. Die tägliche Versammlung der Ortskirche zum Hymnensingen diente der Wahrung der Einheit der Kirche.

Jeder dieser täglichen Hymnen-Gottesdienste besteht aus dem Gebet des Herrn, einem Dankgebet, aus Psalmen, Stellen aus der Heiligen Schrift, vier »Howces« (Hymnen) und dem »Lobsh« (Erklärung), der Theotokia des Tages (Lobeshymne auf die Gottesmutter) und weiteren Riten.

In den Theotokien wiederholt das Volk den Namen »Maria« als ein Zeichen der innigen Verehrung und aus dem tiefen Anliegen, sie beim Namen zu nennen.

Den Namen »Maria« trug im Alten Testament nur eine Person, die Schwester des Moses und Aaron (vgl. Ex 15,20f.; Num 12,1–5). Etymologisch gibt es verschiedene Erklärungen dieses Namens.[123]

Eine ist die: So wie »Moses« und »Aaron« ägyptische Namen sind, könnte auch ihre Schwester den ägyptischen Namen »Meri-Yan« erhalten haben, der aus zwei Worten besteht. »Meri« ist Perfekt Passiv des ägyptischen Wortes »mr« (lieben); es bedeutet also

»geliebt«. »Yam« gebrauchte man für den hebräischen Gottesnamen »Jahwe«. So bedeutet dann »Mariam« so viel wie »die von Gott Geliebte«.[124]

Die jüdischen Rabbis wiederum sahen im Namen »Maria« ein Symbol der bitteren Knechtschaft in Ägypten. »Mara« heißt »die Bittere«. Dagegen sahen einige frühchristliche Schriftsteller im hebräischen Wort »Maryam« zwei Begriffe vereint: »mar« (bitter) und »yam« (See). Demnach könnte Maria »Bitter-See« oder »Meer von Myrrhe« bedeuten.[125]

Wieder andere sehen in diesem Namen die weibliche Form des aramäischen Wortes »mar« (Meister, Herr) und deuten ihn daher als »Herrin«.

Die Theotokien verwenden eine große Anzahl von Titeln für die Gottesmutter, die auf ihre verschiedenen Aufgaben und Privilegien hinweisen, so »Goldenes Manna-Gefäß«, »Goldene Lampe«, »Goldenes Weihrauch-Gefäß«, »schöne Taube«, »heilige Blume«, »Edelstein«, »Mutter der Zuflucht«, »brennender Dornbusch« usw.

»Brennender Dornbusch, den Moses sah, unbestelltes Feld, das die Frucht des Lebens hervorbrachte, Schatz, den Joseph kaufte mit verborgener Perle darin, sie, die den Ernährer aller nährte, wahrer Berg (vom Sinai), Berg den Daniel sah, vollkommen rein, Freude der Engel, Mutter Christi, Mutter allen Lebens.«

»Zweiter Himmel, östliches Tor, Jerusalem, Stadt unseres Herrn, wahres Paradies, reine Braut des reinen Bräutigams, unversehrt, unbefleckt, erwähltes Gefäß, Magd, Urheberin der untrennbaren Einheit (Christi zwischen seiner Göttlichkeit und Menschheit)«.

»Verherrlichung der Jungfrauen, neuer Himmel, die Frau (aus der Apokalypse).«

Die Theotokien sind sehr reich an Bildern und Symbolen für Maria, genommen aus der Heiligen Schrift, verbunden mit einfachen, jedoch tief-theologischen Erläuterungen zu den Aufgaben Mariens. Durch diese Hymnen erklärt die koptische Kirche ihren Gläubigen das Geheimnis der Inkarnation, das Mysterium unserer Erlösung und verschiedene Aspekte der Christologie:

»Gott, der Logos, wurde Mensch ohne Trennung. Er ist einer aus beiden, heilig und unvergängliche Gottheit, eins mit dem Vater, ein reines Menschenwesen, nicht aus Menschensamen, doch uns gleich.«

»Er ist Gott; er kam zu uns, wurde ein Menschensohn: Er ist der wahre Gott, der zu uns kam und uns erlöst hat.«

Nicht zu kurz kommt dabei auch der eschatologische Aspekt. Hier als Beispiel der Schluß der Theotokien von Mittwoch bis Samstag (Batis):

»Unser Herr Jesus Christus, der du die Sünden dieser Welt trägst, mögest du uns als deine Schafe zu deiner Rechten sehen, damit wir bei deiner zweiten, furchtbaren Wiederkunft nicht die schreckliche Stimme hören müssen: Ich kenne dich nicht. Damit wir würdig werden, die freudevolle Stimme deiner Gnade zu hören, die laut verkündet: Komm, der du von meinem Vater gesegnet bist, nimm dein Erbe, das ewige Leben für immer. Die Märtyrer werden mit ihren Leiden, die Gerechten mit ihren Tugenden kommen. Der Sohn Gottes wird kommen in seiner Herrlichkeit und in seines Vaters Herrlichkeit und jedem den Lohn geben nach seinen Werken.«

Der Name »Theotokia« all dieser Hymnen will sagen, daß die theologische Begründung der Marienverehrung in der koptischen Kirche die Tatsache ist, daß sie Gottesgebärerin (θεοτόκος) ist; dazu kommen noch andere Aspekte wie ihre immerwährende Jungfräulichkeit und ihre innige Beziehung zur gesamten Menschheit.

In all diesen marianischen Texten macht die Kirche eine deutliche Unterscheidung zwischen Jesus Christus, dem Anbetung gebührt, und seiner heiligen Mutter, der Verehrung zusteht. Dies entspricht den Worten des Epiphanius von Salamis, der meint: »Maria soll man ehren, den Herrn aber allein anbeten.«[126] Und Ambrosius meint:

»Den Heiligen Geist muß man ohne Zweifel anbeten, wie wir auch ihn anbeten, der vom Heiligen Geist Fleisch wurde. Doch gilt dies nicht für Maria; denn sie war der Tempel Gottes, nicht der Gott des Tempels. Und deshalb ist der allein anzubeten, der im Tempel wirkt.«[127]

Die Theotokien rufen uns auch immer wieder auf, unsere Sünden zu bereuen:

»Deine Gnaden, o mein Gott, sind ohne Zahl . . . Mögest du, o Gott, dich nicht der Sünden erinnern, die ich begangen habe. Du hast den Zöllner erwählt, die Ehebrecherin gerettet und dem Schächer zu deiner Rechten versprochen, seiner zu gedenken. Lehre du mich, dem Sünder, Reue!«

2. *Maria in den Hymnen vor Weihnachten.* Im ganzen Monat Keyahk vor Weihnachten (das Fest selbst feiern wir am 29. Keyahk) wurden besondere Hymnen zu Ehren Mariens und als Vorbereitung auf das Fest der Geburt des Herrn gesungen. In diesem Monat – er gilt als Marienmonat – versammeln sich die Gläubigen in Ägypten jeden Samstag-Abend zum Hymnensingen in der Kirche und bleiben dort bis zum Ende der sonntäglichen Eucharistiefeier.

Neben den typischen Elementen der Theotokien, die wir bereits erwähnt haben, gibt es bei den Hymnen im Keyahk weitere Besonderheiten.

Neben den Hymnen, die später von Leuten ohne großes theologisches Wissen eingeführt wurden, sind die Keyahk-Hymnen eine wahre Himmelssymphonie. Sie preisen Maria nicht nur als Gottesmutter, sondern auch die ganze Kirche als einen heiligen Wohnort des fleischgewordenen Logos Gottes. Dies will sagen: Durch die Inkarnation des Gottessohnes im heiligen Leib seiner Mutter sehen wir ihn durch die Gnade des Heiligen Geistes in unseren Seelen wohnen.

Diese Hymnen haben auch einen sozialen Aspekt: jedes Mitglied der Kirche preist Gott nicht als Individuum, sondern durch alle Heiligen Gottes, kraft seiner Teilhabe an der einen Kirche, wie es in Ps 21,23 heißt: »Ich preise dich inmitten der Gemeinde.«

Aus diesem Grund sind viele Hymnen auch dem Lob bestimmter Heiliger gewidmet, so als ob diese sich mit uns zum Hymnensingen auf den fleischgewordenen Gott, den Erlöser des Menschengeschlechts, versammelt hätten.

3. *Symbole Mariens in den koptischen Hymnen.*

Das heilige Zelt: Die Theotokia des Sonntags nennt Maria das »neue Heiligtum, die Heilige der Heiligen im heiligen Zelt.«

Bei der Verkündigung sagte der Engel Gabriel: »Die Kraft des Allerhöchsten wird dich überschatten (ἐπισκιάζει σοι)« (Lk 1,35). Dieses Verbum (hebräisch »shakan« = wohnen) wurde für das heilige Zelt gebraucht, worin Jahwe bei seinem Volke wohnte; ferner für den Augenblick, in dem Christus vor seinen Jüngern auf dem Berg Tabor verklärt wurde und eine Wolke ihn »überschattet hat« (Mt 17,5).

Nach dem Buch Exodus (40,35) war es Moses nicht möglich, das Allerheiligste zu betreten, weil der Herr darin wohnte (shakan) und es von der Herrlichkeit des Herrn erfüllt war. So ist auch Maria das heilige Zelt, in dem Gott selbst unter seinem Volke wohnt. Wenn aber Moses wegen der Herrlichkeit Gottes nicht fähig war, das heilige Zelt zu betreten, wer kann dann in das Geheimnis Mariens eindringen, die Gott in ihrem heiligen Leib trug!

»Wer kann beschreiben, wie verehrungswürdig das Heiligtum des Moses ist, das ihm auf dem Berg Sinai gezeigt wurde. O Maria, Jungfrau, du bist dem Zelte gleich; du bist das wahre Heiligtum, in dem Gott gewohnt hat.«

Die Bundeslade: Maria wird auch mit der Bundeslade verglichen, die aus Akazienholz gebildet und innen und außen mit Gold belegt war.

»Und du, Maria, bist ebenso in die Herrlichkeit des Herrn gehüllt, innen und außen.«

Die Bundeslade, welche die Gegenwart Gottes bedeutet, blieb einst drei Monate im Haus des Abinadab, ehe David sie in sein Haus brachte (2 Sam 6). Ähnlich weilte Maria drei Monate im Hause ihrer Base in einer Stadt in Judäa (vgl. Lk 1,56).

Die Rückkehr der Bundeslade bedeutete eine große Freude für das Volk; sie brachte David dazu, Freudensprünge zu machen und vor dem Herrn zu tanzen (vgl. 1 Chron 15,29). Ähnlich war die Ankunft Mariens bei Elisabeth Ursache der Freude und war die Ursache, daß ihr Kind, Johannes der Täufer, im Mutterleib hüpfte. Das Verbum »hüpfen« (ἐσκίρτησεν), das Lk 1,41 gebraucht wird, ist dasselbe, das die Freude Davids vor der Bundeslade beschreibt. Es wird auch in der Heiligen Schrift für die Freudeäußerungen gebraucht, welche die Ankunft des Herrn begleiten (Ps 113,4.6; Weisheit 9,9; Mal 4,2), sowie für die Freude im Himmel (Lk 6,23).

Maria, die wahre Bundeslade, wurde zur Ursache aller Freude für die ganze Schöpfung: »Heil dir Gottesgebärerin, Freude der Engel« (Theotokia vom Sonntag). »Sie gaben dir Ehre, du Stadt Gottes, denn du bist der Wohnplatz jener, die sich freuen« (Theotokia vom Mittwoch).

Der Offenbarungsort: Dieser wird auf hebräisch »Sekina« genannt, d. h. Wohnsitz; er stellt den Ort der göttlichen Gnade (griech. ἱλαστήριον = Versöhnungsort) dar, der von zwei Cherubim beschattet ist (vgl. Ex 25,22; Num 7,89 u. a.). Gott erschien zwischen diesen Cherubim in blau (blau ist die Farbe des Himmels) und sprach von hier zu Moses.

Maria ist dieser Offenbarungsort, dieses Heiligtum, in dem Gott auf seinem Gnadenthron sitzt, mitten unter seinem Volk, umgeben von himmlischen Wesen:

»Zwei goldene Bilder von Cherubim beschatten unaufhörlich das Innerste mit ihren Schwingen. Sie überschatten das Heiligste der Heiligen im zweiten Heiligtum. Tausende und Zehntausende (Engel) umschatten auch dich, Maria. Sie loben ihren Schöpfer, der in deinem Leibe wohnt, der unsere Gestalt annahm.«

Das Mannagefäß:

»Du bist das reine, goldene Gefäß des verborgenen Manna, welches das Brot des Lebens ist, das vom Himmel herabkam und der ganzen Welt Leben gab ... Er kam vom Vater; du hast ihn unbefleckt geboren. Er gab uns sein kostbares Fleisch und Blut, damit wir das ewige Leben haben.«

Im Alten Testament nährte Gott sein Volk mit Manna; uns aber gab er das wahre Manna, das vom Himmel in den Leib der Jungfrau herabstieg. Der Herr selbst sagt: »Eure Väter in der Wüste haben das Manna gegessen und sind gestorben. Dies aber ist Brot vom Himmel, das der Mensch essen darf und er wird nicht sterben. Ich bin das lebendige Brot, das vom Himmel herabgekommen ist. Wer von diesem Brote ißt, wird leben in Ewigkeit. Und dieses Brot ist mein Fleisch, hingegeben für das Leben der Welt« (Joh 6,49–51).

Maria aber – dies ist hier eigens zu erwähnen – war nicht nur ein Gefäß, sie enthielt vielmehr das verborgene Manna in ihrem Leib.

Der goldene Leuchter:

»Du bist der reingoldene Leuchter, der das ewige Licht trägt. Er ist das unerreichbare Licht dieser Welt ..., ohne Sünde ist er Fleisch geworden ...

Alle himmlischen Chöre können mit dir nicht verglichen werden, goldener Leuchter ... Er, der in deinem Leibe wohnte, o Jungfrau Maria, gibt jedem in der Welt Licht. Er ist die Sonne der Gerechtigkeit, den du geboren und der unsere Sünden heilt.«

Maria ist hocherhaben über alle himmlischen Geschöpfe, weil sie das wahre Licht geboren hat. Es leuchtet, und keine Kreatur kann sein Wesen begreifen.

Der brennende Dornbusch[128]*:*

»Der Busch, den Moses in der Wüste sah, er brannte, doch seine Zweige verbrannten nicht. Er ist Symbol für Maria, die fleckenlose

Jungfrau. Denn der Logos Gottes kam aus ihr und nahm Fleisch an aus ihr. Das Feuer seiner Göttlichkeit verzehrte ihren Leib nicht; auch nach seiner Geburt blieb sie Jungfrau.«[129]

Der Dornbusch brannte nicht; er wurde grüner und blühte herrlich (vgl. Ex 3,1–3).

Im armenischen Ritus finden wir den gleichen Gedanken:

»Du, der du entflammt warst von der Sonne wie der Dornbusch, verbranntest nicht, sondern gabst den Menschen das Brot des Lebens und bittest bei Gott für uns um Vergebung unserer Sünden«.

Ephräm der Syrer meint:

»Sie trug Christus in ihrem jungfräulichen Herzen, wie der Dornbusch auf dem Berge Horeb Gott in seinen Flammen trug.«

Theodor von Alexandria bezieht Christi Worte an seinen Vater im Augenblick seines Todes auf seine Mutter:

»Nimm an von mir, o mein gütiger Vater, den Dornbusch, der das Feuer der Göttlichkeit erfuhr und nicht verbrannte. Ich opfere dir, o mein Vater, die königliche Gabe: die Seele meiner jungfräulichen Mutter.«[130]

Der Stab Aarons:

»Du bist mehr als Aarons Stab; du bist voll der Gnade. Was ist der Stab, wenn nicht Maria? Der Stab ist ein Symbol ihrer Jungfräulichkeit. Sie empfing und gebar den Sohn des Allerhöchsten: den Logos selbst, ohne Menschensamen.«

Der leblose Stock des Aaron blühte (vgl. Num 17,8); er ist ein Symbol für Maria, die das »Leben« hervorgebracht hat.

Die Jakobsleiter:

»Du bist die Leiter, die Jakob sah, die auf der Erde steht und hoch zum Himmel reicht, auf der die Engel herabsteigen (vgl. Gen 28,11–17).«

Der wahre Berg:

»Der lebendige Logos stieg vom Berg Sinai herab, um das Gesetz zu geben ... Er kam in dir herab, du wahrer Berg.«

»Er war der Stein, der vom Berge abbrach, den Daniel sah, keines Menschen Hand berührte ihn (vgl. Dan 2,34). Der Logos des Vaters kam herab und wurde ohne Menschensamen aus der Jungfrau Fleisch, um uns zu retten.«

Die täglichen Hymnen erwähnen noch andere Bilder und Symbole für die Gottesmutter: »Aarons Weihrauchgefäß«, »Ezechiels Tor«

(vgl. Ez 43,2), die »Gottesstadt«, »die helle Wolke, auf der Gott sitzt« (vgl. Is 19,1), das »neue Jerusalem« (Apk 21,2).

9.
Maria im koptischen Gottesdienst

Marianische Texte und Hymnen haben einen hervorragenden Platz in unserem Gottesdienst. Ihre theologischen Inhalte und ihre Weisen sind der jeweiligen Situation gut angepaßt. Hier einige Beispiele:

Eucharistische Liturgie (σύναξις, kopt. Synage): Vor dem Opfer wird die folgende Hymne gesungen:

»*Gruß dir, Maria, Königin! Du gleichst dem samenlosen, unbeschnittenen Rebstock. Doch welche Trauben des Lebens wuchsen an ihm! . . .*

Der Sohn des wahrhaft allmächtigen Gottes stieg herab, nahm Fleisch an aus der Jungfrau. Du fandest Gnade, o Braut; viele zeichnen dich aus, denn der Logos des Vaters wurde Fleisch in dir.

Du bist der hohe Turm, in dem die Perle verborgen war.«

Dieser Text paßt sehr gut, denn die Kirche bereitet das Opfer vor, der Priester wählt das »Lamm« (das Opferbrot) aus, das heißt den himmlischen Priester-König, der an der königlichen Pforte, der Himmelstür, steht. In diesem Gesang wird Maria »Königin« genannt, um uns an den Himmelskönig, ihren Sohn zu erinnern, der sein Leben für uns hingab, damit wir so verbunden bleiben mit der Königin, die zur Rechten des Königs steht (vgl. Ps 44,10).

Sie wird auch »Braut« genannt, um uns ins Bewußtsein zu rufen, daß die eucharistische Liturgie die mystische Einheit des himmlischen Bräutigams mit der Kirche darstellt; sie zeigt das Mysterium der geistigen Hochzeit unserer Seele mit dem gekreuzigten Christus.

Bei der Weihrauch-Darbringung singt das Volk über Maria folgendes Lied:

»*Dies ist das wahre Weihrauchgefäß aus reinem Gold; es enthält das*

Abb. 6. Jungfrau Maria unter dem Kreuz
(Ikone in der »Hängenden Kirche« von Alt-Kairo).

Ambra, das den Händen des Priesters Aaron anvertraut war, damit es auf dem Altar geopfert wird.«

An Fasttagen singt man:

»Die Jungfrau ist ein goldenes Weihrauchgefäß. Unser Erlöser ist sein Ambra. Sie gebar ihn, der uns rettete und unsere Sünden vergeben hat.«

In der Zeit des großen Fastens:

»Du bist das reingoldene Weihrauchgefäß, das gesegnetes Kohlenfeuer enthält.«

Diese Gesänge zeigen, daß Weihrauch ein Symbol für das Mysterium der Inkarnation ist, da der fleischgewordene Gott sich selbst als ein süßduftendes Opfer dargebracht hat, das dem himmlischen Vater um unseres Heiles willen angenehm wurde.

Im äthiopischen Ritus spricht der Priester beim Weihrauch vor dem Bild Mariens:

»Du bist das goldene Weihrauchgefäß, das lebendiges Kohlenfeuer trug ... Gepriesen sei der ... der aus dir sich selbst dem Vater als Weihrauch und ein ihm wohlgefälliges Opfer anbot.«

Und beim Heraustreten aus der Bilderwand zur Inzensierung spricht der Priester:

»Das Weihrauchgefäß ist Maria; der Weihrauch ist der, der in ihrem Leib wohnte, der Duft ausströmt; der Weihrauch ist der, den sie gebar: er kam und rettete uns, er, der duftende Balsam, Jesus Christus.«

Beim Weihrauchspenden vor dem Bilde Mariens betet der koptische Priester folgende drei Texte:

»Sei gegrüßt, du schöne Taube, die Gott, den Logos, uns gebar. Wir grüßen dich mit dem Engel Gabriel: Sei gegrüßt, du bist voll der Gnade, der Herr ist mit dir!«

»Sei gegrüßt, o Jungfrau, wahre Königin; sei gegrüßt, du Stolz unseres Geschlechts. Du hast uns den Emmanuel geboren.«

»Wir dürfen dich, o getreue Mittlerin, bitten, daß du unser bei unserem Herrn Jesus Christus gedenkst, daß er unsere Sünden austilgen möge.«

Vor der Lesung aus der Apostelgeschichte lautet der Gesang:

»Sei gegrüßt, Maria, du schöne Taube, die Gott, den Logos, für uns gebar!«

Es sei hier betont, daß sich die zu den Lesungen erklingenden

Marienhymnen auf die göttliche Inkarnation beziehen und zwar so, als ob wir nicht nur das Wort Gottes hörten, sondern es auch empfingen als etwas, das in unserer Seele wohnt.

Nach dem Versöhnungsgebet singen wir gewöhnlich das folgende Lied:

»Gruß dir, Maria, Magd und Mutter, denn die Engel singen für den, der in deinem Schoße ist. Die Cherubim beten den Kommenden an, und die Seraphim tun gleiches ohne Unterlaß. Da ist keine Gnade für uns ohne deine Fürsprache und Vermittlung. O unser aller Lehrerin und Gottesmutter!«

Durch die Versöhnung, die Christus gebracht hat, freut sich Maria als Urbild der Kirche. Wir bitten sie um ihr Gebet und ihre Fürbitte kraft der Versöhnung, die Jesus brachte.

Nach der Konsekration der heiligen Gaben ist die Kirche mit Jesus Christus vereint und wir gedenken der Heiligen, daß sie uns beistehen durch ihr Gebet.[131] Da ist ganz natürlich, daß wir vor allen anderen Maria gedenken:

»Auf dem ersten Platz sie, die ewige Jungfrau, die Gottesmutter, die von allen gefeiert wird, die reine heilige Maria, die Gott, den Logos, geboren hat . . .«

Zum Empfang der heiligen Kommunion wird eine Hymne, »Piwik« genannt (von »pioiek« = Brot), gesungen:

»Das Brot des Lebens, das vom Himmel kam, gibt der Welt Leben. Du, o Maria, hast das wahre Manna empfangen, das vom Vater kam. Du hast ihn unverletzt geboren, der uns seinen kostbaren Leib, sein Blut gab, auf daß wir ewig leben.«

Sakrament der Ehe:

Bei der Eheschließung gedenken Priester, Diakone und Volk des ewigen, himmlischen Hochzeitsfestes Christi und der Kirche. So singt das Volk zum ersten Teil der Zeremonie (genannt Zustimmung zum wechselseitigen Besitz) nach dem Anhören des Evangeliums von der Fleischwerdung des Logos, des Bräutigams (vgl. Joh 1,1–17), so als ob man den Bräutigam im eigenen Innern empfänge:

»Freu dich, Brautgemach, schön geschmückt für den wahren Bräutigam, der sich mit den Menschen vereint hat!«

In verschiedenen Hymnen wird Maria als Urbild der Kirche und himmlische Braut gepriesen:

So singt der Diakon nach dem Dankgebet: »Das ist das Weihrauchgefäß . . .«, und beim »Auftrag zur heiligen Krönung« singt man: »Die Jungfrau ist das goldene Weihrauchgefäß«.

Während der drei Hochzeitsgebete singen die Diakone die folgenden Responsorien:

»Das Sonnentor ist Maria, die Jungfrau, die reine Brautkammer des reinen Bräutigams. Alle Könige der Erde gehen in deinem Licht und die Völker in deinem Glanz, o Maria Mutter Gottes. Salomon nennt dich im Hohenlied: Meine Schwester, meine Geliebte, meine treue Stadt Jerusalem! Du bist heller als die Sonne, du bist der Osten, zu dem die Rechtschaffenen schauen mit Jubel und Freude.«

Während der Priester dreimal Gott bittet, das Brautpaar anzunehmen als ein reines Brautgemach, und um ein in ihrer Vereinigung gesegnetes Leben betet, geben Diakone und das Volk ihre Freude zum Ausdruck über das heilige Brautgemach, den Leib der Jungfrau Maria, in dem der Bräutigam (Christus) sich mit unserem Menschsein vereinte. So ist also Maria der »Osten«, von dem die Sonne der Gerechtigkeit über der Welt aufgeht, und alle Könige (gemeint sind die Gläubigen) kommen voll Freude zu diesem Mysterium.

Gegen Ende der Zeremonie singen die Diakone dieses Lied:

»Sei gegrüßt, lichtvolle Braut, Mutter des Spenders des Lichts. Sei gegrüßt, die du den Logos empfingst, der in deinem Leibe wohnte. Sei gegrüßt, die du herrlicher bist als die Cherubim. Sei gegrüßt, du trugst den Erlöser unserer Seelen. Ehre sei dem Vater und dem Sohn und dem Heiligen Geist.«

So lenkt die koptische Hochzeitszeremonie von Anfang bis zum Ende unsere Aufmerksamkeit auf Maria als leuchtende Braut, damit wir auf die ewige Brautschaft Christi vorbereitet werden.

Taufgottesdienst: Der Kandidat oder sein Pate haben vor dem Empfang der Gnade der Taufe dem Priester oder dem Bischof gegenüber zu erklären, daß die jungfräuliche Geburt Mariens für sie einen wesentlichen Bestandteil ihres christlichen Glaubens darstellt.

Sakrament der Krankenheilung: In diesem Gottesdienst wiederholt der Priester seine Bitte an die Gottesmutter, daß sie um Vergebung unserer Sünden bitte; er nennt sie »Mutter der Erlösung«. Die Kirche bittet ihre triumphierenden Mitglieder, für jene zu beten, die noch kämpfen, auf daß Gott ihren Geist, ihre Seele und ihren Leib heile.

». . . durch die Vermittlung der Jungfrau, der Mutter der Erlösung,

sie, die wir preisen, indem wir sagen: Gesegnet bist du unter den Frauen und gesegnet ist die Frucht deines Leibes.«

». . . auf die Fürbitte der Gottesmutter, mit Unterstützung der Engel, beim Blut der Märtyrer und mit dem Gebet der Heiligen . . .«

»O heilige Jungfrau, Theotokos ohne Menschensamen, bitte für die Erlösung unserer Seelen!«

Ritus der Reinigung des Neugeborenen: Die koptische Kirche kümmert sich wie eine Mutter schon vor der Taufe um ihre Kinder. Am achten Tag nach der Geburt nehmen die Priester und die Diakone mit der Familie des Neugeborenen an einem Ritus teil, der »Reinigung des Neugeborenen« heißt. Man dankt dafür, daß das Kind den Eltern geschenkt wurde, und bittet Gott, das Neugeborene auf die geistige Geburt vorzubereiten. Bei dieser Gelegenheit erinnert die Kirche die Familie an den eingeborenen Sohn, der aus Maria geboren wurde.

»Der nicht Fleisch war, doch Fleisch wurde, welcher der Logos ist, der Mensch wurde, er, der keinen Anfang hat, beginnt heute ... Er unterwirft sich der Zeit, obwohl er ohne Zeit ist.

Maria, unsere Herrin, Gottesmutter, Mutter des Erlösers, bitte für uns, damit er unsere Sünden vergibt.«

10.

Maria in den Festtagsgesängen

Durch die Fleischwerdung des Gottessohnes aus der Jungfrau Maria sind für uns die Tore des Himmels geöffnet worden und alle unsere Tage werden Feste. Deshalb gibt es zu jedem Fest passende Marienhymnen, die uns daran erinnern sollen, daß wir durch den Sohn der Jungfrau, Jesus Christus, die Freude des Herrn in unserem Leben empfangen.

Fest der Geburt des Herrn[132]*:* Wir haben bereits erwähnt, daß die koptische Kirche vom 1. Keyahk bis Weihnachten (29. Keyahk) einen besonderen Marienzyklus hat, um unsere Gedanken auf die jungfräuliche Geburt zu lenken. Den üblichen Marientexten werden bei der eucharistischen Liturgie weitere christologische und mariologische Gesänge beigefügt:

»Heute ist uns das wahre Licht erschienen, aus Maria, der Jungfrau, der reinen Braut.«

»Mit den Propheten sagen wir: Maria gebar unseren Erlöser, den gnädigen Liebhaber unseres Menschengeschlechts, in Bethlehem.«

»Er stieg herab vom Himmel der Himmel in den Leib der Jungfrau, wurde Mensch wie wir, doch ohne Sünde.«

»Kommt alle! Laßt uns anbeten Jesus Christus, unsern Herrn, den die Jungfrau gebar und Jungfrau blieb.«

»Die Jungfrau gebar den Höchsten und die Erde bietet dem Unnahbaren eine Höhle. Engel lobsingen mit den Hirten, Magier aber ziehen mit dem Stern: denn für uns ward geboren ein kleines Kind – der ewige Gott« (Romanos der Melode).

»Sei gegrüßt, neuer Himmel; denn die Sonne der Gerechtigkeit, der Herr der ganzen Welt, scheint herab von dir.«

»Den vom Vater vor aller Zeit gezeugten Sohn gebar die Königin und blieb doch Jungfrau, unversehrt.«

Mariä Verkündigung:

»Gruß dir, Gottesmutter! Die Engel frohlocken. Gruß dir, du Reine, von der die Propheten sprechen! Gruß dir, voll der Gnade, der Herr ist mit dir! Freut euch, die ihr die Freude der Welt durch den Engel erhaltet.«

Marienfeste: Einer der inhaltsreichsten und schönsten Marienhymnen, die üblicherweise an Marienfesten gesungen werden, ist der folgende, »Die zehn Akkorde« genannt:

»David spielte den ersten Akkord auf der Lyra und sagte: Zu deiner Rechten, o König, steht die Königin (Ps 44,9).

Er spielte den zweiten Akkord auf der Lyra und sagte: Höre, Tochter, sieh und neige dein Ohr; vergiß dein Volk und dein Vaterhaus (Ps 44,10).

Er spielte den dritten Akkord auf der Lyra und sagte: Alle Herrlichkeit ist mit der Königstochter; ihr Gewand ist gewoben aus Gold (Ps 44,13).

Er zupfte den vierten Akkord und sagte: Mit ihrem jungfräulichen Gefolge von Freundinnen zieht sie vor den König (Ps 44,14).

Er zupfte den fünften Akkord und sagte: Groß ist der Herr und preiswürdig in der Stadt unseres Gottes, auf seinem heiligen Berg (Ps 47,1).

Er zupfte den sechsten Akkord und sagte: (Sie ist) die Taube mit silbernen Schwingen, mit Flügeln von gelbem Gold (Ps 67,13).

Er zupfte den siebten Akkord und sagte: (Sie ist) Gottes Berg – ein reicher Berg (Ps 67,15).

Er zupfte den achten Akkord und sagte: Auf heiligem Berg hat er die Stadt gegründet: die Tore von Sion liebt der Herr (Ps 86,1.2).

Er zupfte den neunten Akkord und sagte: Herrliches spricht man von dir, Stadt Gottes (Ps 86,3).

Er zupfte den zehnten Akkord und sagte: Der Herr hat Sion erwählt. Er wünscht es als Wohnsitz. Bitte für uns beim Herrn.«

Eine weitere Hymne zur Verehrung der Gottesmutter und bei jedem anderen Fest lautet:

»Freu dich, Gottesmutter, Jungfrau und Fürsprecherin für die Welt beim Erlöser, unserem Gott. Freu dich, Gottesmutter, Jungfrau und Mutter des Emmanuel, unvermählt auf Weisung des Engels, Mittlerin vor dem Vater, unserem Gott. Sei gegrüßt, wir verherrlichen dich.«

Das große Fasten: Unter den verschiedenen Hymnen des Großen Fastens, das Reue und Enthaltsamkeit als Vorbereitung auf die Feier des Osterfestes sein soll, gibt es eine besondere Marienhymne, die »Megalo« (groß) heißt. Sie ist ein Lied, das Christus, dem Sohn der Jungfrau, gewidmet ist und das als Trishagion (»Heiliger Gott . . .«) gesungen wird:

»Heiliger Gott, großer, ewiger Hoherpriester, Allmächtiger, Heiliger, der nach der Ordnung des Melchisedech vollkommen Eine . . . Heilig der Unsterbliche, der Fleisch wurde durch den Heiligen Geist aus Maria der Jungfrau im großen Geheimnis, gib uns Gnade . . .«

Diese Hymne wird durch eine andere, »Apenshois« (O unser Herr) genannt, vervollständigt, in der wir sprechen:

»Weihrauch dem in ihrem Leib; Weihrauch dem, den sie gebiert! Vergib uns unsere Sünden.«

Die Heilige Woche: In dieser Woche werden alle Kerzen oder Lampen vor den Ikonen gelöscht; es gibt keinen Weihrauch für sie. Auch das Gedächtnis der Heiligen fehlt, da wir all unsere Aufmerksamkeit auf die Ereignisse dieser Woche richten sollen. Trotzdem haben aber Marienhymnen ihren Platz und zwar wegen des Zusammenhangs der Fleischwerdung aus der Jungfrau und dem Mysterium des Kreuzes.

Jede Nacht sprechen wir vor dem Lesen der Erklärung zum Evangelium: »Gegrüßt seist du, Maria, schöne Taube, die Gott den Logos für uns gebar.«

Am Karfreitag singt man vor dem Trishagion den auch im byzantinischen Ritus bekannten Hymnus »Du eingeborener Sohn«. In diesem erinnert die Kirche daran, daß der Gekreuzigte, der in Schwachheit uns erschienen ist, derselbe ist, den die Jungfrau geboren hat. Gott entäußerte sich, um unsertwillen Mensch zu werden (vgl. Phil 2,7):

»Du eingeborener Sohn und Logos Gottes, Unsterblicher, der du um unseres Heiles willen von der heiligen Gottesgebärerin und immerwährenden Jungfrau Maria Fleisch annehmen wolltest; der du, ohne dich zu verändern, Mensch wurdest und am Kreuz den Tod überwunden hast durch deinen Tod: eine Person in der Heiligsten Dreieinigkeit, verherrlicht mit dem Vater und dem Heiligen Geist, rette uns!«

Ostern: Die Väter brachten den Leib Mariens gedanklich in Zusammenhang mit dem Grab des Herrn: so wie der Herr geboren wurde und die Jungfräulichkeit Mariens unberührt blieb, so erstand er auch aus dem Grab, dessen Siegel unverletzt waren.

Im byzantinischen Ritus beginnt der Osternachtgottesdienst mit: »Christus, der du die Tore der Jungfrau in deiner Geburt nicht zerstört hast, du bist von den Toten auferstanden und hast die Siegel unversehrt gelassen und uns die Tore des Paradieses geöffnet.« Im koptischen und byzantinischen Ritus singt man: »Werde Licht, werde Licht, o Jungfrau Maria!«

Die Gottesmutter, die alle Dinge, die um ihren Sohn geschahen, im Herzen bewahrte (vgl. Lk 2,19), wurde erleuchtet von der Heiligkeit des Auferstandenen und empfing in vollkommener Weise sein Mysterium.

II.

Maria im Stundengebet

In jeder kanonischen Stunde verehren wir Maria und bitten sie um ihr Gebet und ihre Fürbitte für unser geistiges Fortschreiten.

Im Gebet der ersten Stunde sagen wir vor dem Glaubensbekenntnis:

»Gegrüßet seist du! Wir beschwören dich, heilige, glorreiche, immer jungfräuliche Gottesmutter, Mutter Christi: trage unsere Gebete zu deinem geliebten Sohn zur Vergebung unserer Sünden.

Gegrüßet seist du, heilige Jungfrau, die du das wahre Licht Christus, unsern Herrn, geboren hast. Bitte beim Herrn für uns, daß er uns gnädig sei und unsere Sünden vergebe.

O Jungfrau Maria, du Gottesmutter, getreue Fürsprecherin des Menschengeschlechts, bitte für uns bei Christus, den du geboren hast, damit wir die Gnade der Sündenvergebung erlangen.

Gegrüßet seist du, wahre Jungfrau und Königin, gegrüßt, du Ruhm des Menschengeschlechts! Du hast den Emmanuel geboren; wir bitten dich, gedenke unser, getreue Fürsprecherin, vor unserem Herrn Jesus Christus zur Vergebung der Sünden.«

Oft beten wir vor dem Glaubensbekenntnis diese Einleitung:

»Wir rühmen dich, die Mutter des wahren Lichts; wir verherrlichen dich, heilige Jungfrau, Gottesmutter, denn du hast den Erlöser der Welt für uns geboren. Ehre sei dir, unser Herr und König . . .«

In jeder der kanonischen Horen richten wir nach dem Evangelium Gebete an Gott, die zu den Ereignissen passen, an die wir uns in der betreffenden Stunde erinnern sollen, und schließen mit dem Flehen zur Gottesmutter, sie möge für uns bei Gott bitten.

Erste Stunde:

»Du bist die Mutter des wahren Lichts; überall unter der Sonne huldigen sie dir, Theotokos, du zweiter Himmel. Du bist die lichtvolle, unwandelbare Blüte, die Mutter, die immerwährende Jungfrau, da der Vater dich erwählt, der Heilige Geist dich überschattet hat und der Sohn sich herabließ und Fleisch annahm aus dir. Bitte bei ihm um Erlösung der Welt, die er erschuf, und um Befreiung von jeder Versuchung. Lasset uns ihm ein neues Lied singen und ihn preisen, jetzt und allezeit und von Ewigkeit zu Ewigkeit. Amen.«

Abb. 7. Himmelfahrt Christi, Apsis-Malerei einer Kirche von Bawit (Ägypten). Maria inmitten der Apostel als »Ecclesia orans«.

Dritte Stunde:

»Du bist der wahre Weinstock, der die Rebe des Lebens trägt, Gottesmutter! Mit den Aposteln bitten wir dich, du Gnadenreiche, um unsere Erlösung. Gepriesen sei der Herr, unser Gott! Gepriesen Tag für Tag. Er bereitet uns den Weg, denn er ist der Gott unseres Heils.«

Sechste Stunde:

»Wegen unserer vielen Sünden schämen wir uns vor Gott; wir haben keine Entschuldigung. Wir bitten um deine Fürsprache bei ihm, den du geboren hast, o Gottesmutter und Jungfrau; denn deine Fürsprache ist mächtig und unser Erlöser nimmt sie an. Verwirf uns

Sünder nicht vor deinem Sohn; denn er ist barmherzig und kann uns erlösen, weil er für uns gelitten hat . . .«

Neunte Stunde:

»Als die Mutter das Lamm, den Hirten und Erlöser der Welt, am Kreuz hängen sah, sprach sie unter Tränen: Die Welt frohlockt, da sie das Heil empfing; doch mir bricht das Herz beim Anblick deiner Kreuzigung, die du für die ganze Menschheit erduldest, o mein Sohn und mein Gott.«

Zwölfte Stunde:

»Reine Jungfrau, eile deinem Diener zu Hilfe. Nimm hinweg meine schlechten Gedanken und erwecke meine Seele zu wachsamem Gebet, denn sie hat zu lange geschlafen. Du bist eine mächtige, hilfreiche und gnädige Mutter. Mutter der Quelle des Lebens, meines Königs und Gottes, Jesu Christi . . .«

Maria in der äthiopischen Kirche: Die äthiopische Kirche, die Tochter der Kirche Ägyptens, erhielt ihren Glauben von Alexandrien und damit eine große Liebe zur Gottesmutter Maria. König Zara Yaqob (1431–1468) ordnete bei Strafe der Exkommunikation an, daß jede Kirche in Äthiopien einen der Jungfrau Maria geweihten Altar haben solle und daß ihre Feste wie Sonntage zu feiern sind.

In der Tat ist die äthiopische Hymnologie inhaltsreich und ich hoffe, so Gott will, über sie einmal eine eigene Studie zu veröffentlichen.

Die Himmelfahrt Mariens wird in Äthiopien allmonatlich als ein großes Fest begangen. Man kann die große Liebe dieser Kirche zu Maria begreifen, wenn man weiß, daß dort die Häretiker »Feinde Mariens« genannt werden.

12.

Die Marienfeste in der koptischen Kirche

Die Verkündigung an ihre Eltern (7. Messra): Dieses Fest erinnert an die Empfängnis Mariens, der lebenden Bundeslade, der Wohnung des Allerheiligsten und des zweiten Himmels.

Ihre Geburt (1. Pashans): Die Kopten feiern, wie auch die übrigen Kirchen, üblicherweise Heiligenfeste, um dabei an den Tod bzw. das Martyrium oder die Aufnahme ins Paradies des betreffenden Heiligen zu erinnern; Maria wird jedoch auch am Tag ihrer Geburt gefeiert.

Ihre Vorstellung im Tempel (3. Keyahk): Nach der Überlieferung wurde Maria durch ein Gelübde ihrer Mutter Anna Gott geweiht, weil diese versprochen hatte, ihre erstgeborene Tochter oder ihren ersten Sohn dem Herrn zu schenken, damit dieses Kind ihm jeden Tag seines Lebens dienen sollte.

Der Tod Mariens (21. Touba): Der Tod und die Himmelfahrt Mariens werden in der koptischen Kirche an zwei verschiedenen Tagen gefeiert.[133]

Zum Tod Mariens meint Augustinus: »Maria starb als Sproß Adams als Folge der Sünde (Adams). Adam starb als Folge der Sünde; das Fleisch des Herrn, das aus Maria entsproß, starb zur Zerstörung der Sünde.«[135]

Nach dem koptischen Diskurs des Theodosius von Alexandrien »Über den Tod Mariens« beantwortet die Gottesmutter die Klagen der Apostel über ihr Sterben: »Steht nicht geschrieben, daß alles Fleisch des Todes ist? Ich muß wie alle Erdenbewohner zur Erde zurückkehren.«[136]

Andere koptische Texte geben einen anderen Grund an. Danach hat Christus zu seiner Mutter gesagt: »Ich wünschte, du würdest den Tod nicht kosten, sondern wie Enoch und Elias zum Himmel auffahren. Doch auch diese mußten schließlich den Tod kosten. Doch wenn dir dies geschähe, könnten die Menschen denken, daß du eine Kraft bist, die vom Himmel kam, und dies allein hätte dann Gewicht.«

Die Himmelfahrt oder die Erscheinung ihres Leibes im Himmel (16. Mesra = 22. August): Diesem großen Marienfest geht ein vierzehntägiges Fasten voraus.

Das Fest selbst erinnert an den Einzug des Leibes Mariens in den Himmel, daran daß sie uns voranging und zur Rechten ihres Bräutigams und Sohnes sitzt. Es ist ein Zeugnis für die eschatologische Glaubenswahrheit vom »Kommen der neuen Welt« (vgl. Apk 21,1). Germanus von Konstantinopel sagt:

»In Übereinstimmung mit dem, was geschrieben steht: ›ganz schön

Abb. 8. Koptische Ikone aus dem St. Antonius-Kloster am Roten Meer.

bist du‹ (Hld 2,13) ist dein Leib ganz heilig, ganz rein, ganz der Wohnsitz Gottes. Daraus folgt mit Notwendigkeit, daß du davor bewahrt wurdest, in Staub zu verfallen ... Es war unmöglich, daß das Gefäß, das Gott enthalten hat, das der Tempel des eingeborenen Sohnes war, vom Tode festgehalten wurde.«[134]

»Heute bringen die himmlischen Geister die Getreue des Heiligen Geistes, lassen sie ins himmlische Jerusalem eintreten, in das Allerheiligste des Himmels, das wir nie erreichen, in die Nähe der Dreifaltigkeit.«

»Heute haben die himmlischen Geister den heiligen Leib der

jungfräulichen Gottesmutter zum Himmel getragen; dort unter ihnen hat sie teil am unaussprechlichen Entzücken . . .«

»Du hast in diesem Leib ein heiliges Leben geführt; der göttliche Wille wird dich ins Königreich deines Sohnes, unseres Gottes, bringen: bitte für uns« (Armenischer Hymnus zur Himmelfahrt Mariens).

»O Maria, dein Leib war wie eine Perle, sogar der Tod war beschämt, als er dich sah, wie du wunderbar durch die Wolken zum Himmel aufstiegst.«

*

»O Maria, du Taube von Ephrata, verberge mich am Tage des Gerichtes unter deinen Flügeln, wenn die Erde die zurückgibt, die ihr anvertraut waren« (Aus der äthiopischen Liturgie zum Fest Mariä Himmelfahrt).

Anhang:

Die Marienerscheinung in Zeitoun (Kairo) im Jahre 1968

Diese Erscheinung ist einzigartig in der Geschichte der Marienerscheinungen. Sie begann am 2. April 1968 und wiederholte sich oft täglich für Stunden über viele Monate. Die Erscheinungen zeigten sich auf der Kuppel der Marienkirche, sichtbar für mehrere hunderttausend Menschen jeden Alters und Standes, für Christen und Moslems. Viele Menschen versammelten sich jede Nacht um die Kirche (sie beteten und sangen Hymnen), um die leuchtende Mariengestalt auf der Kuppel zu sehen, die manchmal vor dem Kreuz kniete und manchmal das Jesuskind hielt; Vögel wie Tauben begleiteten die Erscheinungen. Viele bereuten ihre Sünden und zahllose Wunder geschahen aufgrund der Erscheinung.

1. Bekanntmachung des Koptisch-Orthodoxen Patriarchats

Seit Dienstag, den 2. April 1968 (24. Baramhat 1684), erscheint die Jungfrau Maria, die Mutter des Lichtes, in der Koptisch-Orthodoxen

Kirche in Shareh Tomanbey, Zeitoun (Kairo), die nach ihr benannt ist.

Die Vision, die noch andauert, wurde in verschiedenen Nächten und Formen gesehen. Manchmal sieht man die Jungfrau in ganzer Gestalt, bei anderen Gelegenheiten erscheint die obere Hälfte in einer Gloriole hellen Lichts.

Zuweilen sieht man die Vision in den Öffnungen der Kuppel, manchmal außerhalb der Kuppel. Die Vision bewegt sich, geht über die Kuppel und verbeugt sich vor dem Kreuz auf der Kuppel, welches in helles Licht gekleidet wird. Sie wendet sich den Zuschauern zu und segnet sie mit der Hand oder mit einer Bewegung des heiligen Hauptes.

Die Vision kam oft in Form eines hellen Nimbus oder Lichtes, dem Dinge gleich himmlischen Gegenständen wie schnell fliegende Tauben vorausgingen.

Die Vision ist längere Zeit geblieben, gelegentlich 2–4 Stunden wie in der Dämmerung des 30. 4. 1968 (22. Baramhat 1684), als sie in vollem Glanz von 2 Uhr 45 bis 5 Uhr dauerte.

Die Vision wurde von vielen tausend Menschen aus vielen Religionen und Sekten gesehen. Es gab da Ausländer, Priester, Gelehrte, Leute von Stand und andere Gruppen. Sie bekannten in vollem Bewußtsein, daß sie sie gesehen hatten und sie gaben unaufgefordert eine Beschreibung jener Vision und der Zeit der Erscheinung in einer Einmütigkeit, die der Vision den Platz der Jungfrau Maria, der Mutter des Lichtes gab, von Natur aus so einzigartig, daß es keiner Bestätigung oder Bekräftigung bedurfte.

Zwei wichtige Geschehen begleiteten die Erscheinung. Das erste war ein Wiederaufleben des Glaubens an Gott, an eine andere Welt und die Heiligen. Einige, die dem Glauben lange fern gestanden hatten, bereuten ihre Sünden und änderten ihr Leben. Die Vision brachte zweitens Wunderheilungen mit sich, die wissenschaftlich bestätigt und unaufgefordert nachgewiesen wurden.

Das Patriarchat sammelte Informationen über alles, was von Einzelpersonen mit Komitees von Priestern, die nach der Wahrheit forschten und selbst die Erscheinung gesehen hatten, herausgefunden wurde, bestätigte dies in Berichten und händigte diese seiner Seligkeit Papst Kyrillos VI aus.

Hiermit erklärt das Patriarchat mit tiefem Glauben und großer Freude, mit überströmendem Dank für die himmlische Gnade, daß die Jungfrau Maria, die Mutter des Lichts, klar und stetig in mehreren Nächten erschien, verschieden lang, manchmal über zwei Stunden ununterbrochen. Die Erscheinungen begannen am Dienstag, den 2. April 1968, über der Koptisch-Orthodoxen Kirche der Jungfrau Maria in Shareh Tomanbey in Zeitoun an der Mataria-Straße in Kairo, der Straße, die historisch als die Straße angegeben wird, die die Heilige Familie bei ihrem Aufenthalt in Ägypten benutzte.

Mag Gott dies ein Zeichen sein lassen für den Frieden der Welt, für unser liebes Land und unser gesegnetes Volk.

Samstag, den 4. Mai 1968 (6. Baramuda 1684)
Das Koptisch-Orthodoxe Patriarchat Kairo

2. *Wunderbare Heilungen während der Marienerscheinungen in Zeitoun (Kairo) 1968*

von P. Jerome Palmer OSB

Von der allerersten Nacht an gab es in Zeitoun überwältigend viele Heilungen. Daraufhin wurde sofort von seiner Heiligkeit, Kyrillos VI. eine Kommission aus sieben Ärzten und Professoren bestehend, eingesetzt, um Berichte und Aussagen, bezüglich dieser Heilungen zu sammeln. Dr. Shafik Malek, der dieser Kommission vorsteht, hat dem Verfasser dieses Buches die Erlaubnis erteilt, einige Stellen aus diesen überprüften Berichten anzuführen:

Der Finger eines Mannes namens Sayed Hassan war so stark infiziert, daß der Arzt vorhatte, ihn zu amputieren. Als dieser Mann, ein Arbeiter, seine Hand erhob um die Muttergottes zu grüßen, wurde der Finger augenblicklich geheilt.

Nageeb Eskandar, dessen Augenlicht ernstlich bedroht war, entdeckte, daß seine Sehkraft wieder völlig hergestellt worden war, nachdem er auf Unsere Liebe Frau geblickt hatte.

Nachdem Dr. Aziz Fam, Professor der Urologie am »Kasr-el-Aini Hospital« eine Röntgenaufnahme von Sami Abdel-el-Malek, 40 Jahre alt, gemacht hatte, fand er einen sich wiederholenden Krebs an der Blase und entfernte darauf im Februar 1967 die Hälfte des angegriffenen Organs. Am 2. Mai kehrte der Patient zu diesem Arzt mit allen Zeichen und Symptomen seines früheren Leidens zurück. Alle Untersuchungen, die Blutprobe, Röntgenaufnahmen, eine Zystoscopie und Urinproben ergaben, daß der Krebs wieder vorhanden war. Der Patient war sehr schwach und der Fall wurde für unoperierbar erklärt. Man konnte eine Schwellung in der Größe einer Zitrone auf der linken Seite des Vemacucy-Teil des Trigone feststellen. – Einige Tage darauf ging dieser Mann zur Kirche der Heiligen Maria in Zeitoun und dort hatte er das Glück, ein Augenzeuge einer Erscheinung Unserer Lieben Frau zu sein. Sofort fühlte er eine Erleichterung und dann bemerkte er, daß jeglicher Schmerz und die Hematuria verschwunden war. Er kehrte zu seinem Chirurgen zurück, der ihn gründlich mit dem Zystoskop und durch Röntgen untersuchte, eine Blutprobe nahm und eine Urinanalyse machte. Alle Symptome waren verschwunden. Der Arzt war ganz überrascht, daß die Röntgenaufnahme nichts von der früheren Schwellung aufwies. Er händigte dem Patienten eine Bescheinigung aus, in der er zum Ausdruck brachte, daß er ausgeheilt sei.

Frau Ramadan Aly Hussein litt seit vier Jahren an einer ernstlichen Erkrankung der Schilddrüse. Es gab keine Hoffnung auf Rettung. Sie war zu krank, um selber nach Zeitoun zu gehen, aber ihr Gatte begab sich zur Kirche und flehte die Muttergottes um eine übernatürliche Heilung an. In derselben Nacht träumte die kranke Frau, daß eine Operation an ihr vollzogen wurde, während weißgekleidete Nonnen sie umgaben. Um vier Uhr am Morgen erwachte sie, vollkommen geheilt. Sie begab sich zum Staatsspital Manial und wurde dort als völlig geheilt erklärt. Dr. Ahmed Farouk veranlaßte eine Röntgenaufnahme; das Bild zeigte keine Spur der Krankheit auf.

Frl. Madiha Mohammed Said, zwanzig Jahre alt, war blind und konnte nicht reden. Ihr Vater und ihr Bruder brachten sie sowohl zum »Galal-Spital« in Babel Shaariya in Kairo, wie zu einem zweiten Hospital namens Omm-el Masreyeen. Immer wurde das gleiche Urteil gefällt, nämlich, daß es keine Hoffnung für die Patientin gäbe. Zwei Augenärzte, Dr. Fares Samaan und Dr. Mohamed Abou-el-Fath stimmten mit dem Urteil überein. Dr. Samaan erklärte, daß eine ernstliche Erschütterung des Nervensystems der Grund für ihre Stummheit und Erblindung sei. – Am 4. Juni 1968 wurde Madiha von ihren zwei Brüdern, Mahmoud und Ahmad Said, zur koptischen Kirche in Zeitoun gebracht. Dort beteten diese beiden mohammedanischen Brüder inbrünstig für ihre Schwester und baten auch den koptischen Priester, sich ihren Gebeten anzuschließen. Plötzlich, nach einer furchtbaren Gemütserregung konnte Madiha wahrnehmen, daß sie in einer Kirche sei und sie konnte auch die Nähe des katholischen Priesters fühlen. Dann erschien die Heilige Jungfrau ganz plötzlich vor ihr. Sofort rief die leidende Frau aus: »Die Heilige Jungfrau!« In Anwesenheit der ganzen Gemeinde und einer großen Menschenmenge, die sich angesammelt hatte, fand sie ihre Sprache wieder und als man ihr ein Mikrophon in die Hand drückte, erklärte sie öffentlich, daß sie die Möglichkeit, wieder sprechen und sehen zu können, der Jungfrau Maria verdanke, nachdem sie zuvor stumm und blind gewesen war.

Fr. Mahmoud Shoukry Ibrahim, 45 Jahre alt, deren Gatte der Kontrolleur des staatlichen Straßen- und Brückenbaues ist, hatte an einer Paralyse gelitten und konnte durch keinerlei Behandlung auch nur irgendeine Erleichterung finden. Sie hatte ihren ersten Anfall einer rechtsseitigen Körperlähmung, infolge hohen Blutdruckes (220/160 Puls 90), am 2. November erlitten. Drei verschiedene Ärzte, alles Spezialisten, verabreichten ihr alle bisher bekannten Mittel. Dr. Abbas Azab, Dr. Ali Labib und Dr. Mohamed Said El-Haddi konnten während des ersten Jahres kurze Linderungen verschaffen, aber danach verschlimmerte sich der Zustand. Am 30. April 1968 fuhr sie in einem Auto zur Kirche. Am Montag, dem 13. Mai, wurde sie wiederum in ihrem Rollstuhl zur Kirche gebracht. An diesem Tag, also bei ihrem zweiten Besuch, überkam sie ein merkwürdiges Zittern an allen Gliedern in dem Augenblick, als sie die Erscheinung sah. Sie konnte sehen, wie sich eine Wolke über der nord-östlichen Kuppel zusammenballte, und in derselben wurde die Gestalt Unserer Lieben Frau sichtbar. Eine Stunde lang bewegte sich die Figur um die Kuppel herum, während die Paralytikerin um Heilung bat. Bei Sonnenaufgang war sie imstande, auf ihren beiden Füßen zu stehen und ohne Hilfe ihres Stockes konnte sie den Stuhl, auf dem sie gesessen hatte, aufheben und zu ihrem Auto gehen, dabei den Herrn und seine selige Mutter lobpreisend. Nach einer Woche wurde sie von der medizinischen Kommission untersucht und für gesund erklärt. Der Blutdruck und die Reflexe waren auf beiden Seiten normal; Blut- und Urinanalyse erwiesen sich ebenfalls als normal.

Am 7. Juni 1968 wurde Frau Lotfy Ibrahim Soliman nach zwölf Jahren von einer Paralyse der Hand geheilt. Sie war die ganze Nacht über in der Kirche geblieben und um 3 Uhr früh bat sie den Priester, für sie zu beten. Fast augenblicklich gewann sie den Gebrauch ihrer Hand wieder; sie war vollkommen geheilt. Die Ärzte, die sie früher behandelt hatten, waren Dr. Badei Guirgis, Dr. Youssef Guenena und Dr. Lotfy Basta. Die Heilung wurde durch offizielle medizinische Untersuchungen festgestellt und ebenso die Tatsache, daß dieselbe auf übernatürliche Weise erfolgt war.

Dr. William Nashed Zaki, der ehemalige Direktor des Massara-Verbandes für ärztliche Behandlung, wohnhaft in der Shoubra-Straße 4 in Kairo, litt dreizehn Jahre hindurch an einer starken Hernia. Er mußte einen medizinischen Gürtel tragen. In der Nacht vom 31. Mai 1968 oder gegen den Morgen des 1. Juni »beobachtete ich«, wie er sagte, »die Erscheinung der Heiligen Jungfrau Maria, als sie in Zeitoun mit Unterbrechungen erschien. In dieser kurzen Zeit sah ich wie Unsere Liebe Frau sich gegen das Kreuz auf der Kirche zu bewegte und alle mit der rechten Hand segnete. Ich betete um Heilung durch ihre Vermittlung und zu meiner großen Überraschung und meinem Erstaunen bemerkte ich, als ich nach Hause kam, daß ich keine Schmerzen mehr hatte. Dann berührte ich die Stelle der Hernia und fand keine Spur mehr davon übrig.« – Der Chirurg, in dessen Behandlung sich Dr. Zaki befand, äußerte sich, daß wohl eine Operation am Platze gewesen wäre, aber daß er sie aus Rücksicht auf andere Zustände des Patienten nicht vollziehen konnte.

Herr Wagih Rizk Matta, 42 Jahre alt, ein Photograph, hatte im Jahre 1968 bei einem Automobilunglück seine Ellbogenspitze ernstlich beschädigt, nachdem eine starke Zerrung beider Biceps Brachialis erfolgt war. Er war noch in Behandlung im »Manshiet el-Bakry Spital«, aber keineswegs geheilt. Er wurde von Dr. Zarif Bishara, Dr. Ali Radi und Dr. Abdel-Hai-el-Sharkawi behandelt. Als der verkrüppelte Mann die Erscheinung zu photographieren versuchte, war er sofort geheilt. Die unterzeichnete Aussage des Arztes beinhaltet folgendes: – ». . . Die Beweglichkeit des Armes war am Ellbogengelenk behindert mit sehr geringer Flexibilität. Alle Bewegungen des Armes wurden vom Schultergelenk aus geleitet. Nachdem Herr Wagih Matta heute untersucht wurde, fand ich ihn in gesundheitlich guter Verfassung und imstande, sein Ellbogengelenk vollkommen abzubiegen und auszustrecken. Ich kann keine medizinische Erklärung für die völlige Beweglichkeit des verletzten Armes finden.«

(unterschrieben von Dr. Zarif Bishara)

Herr Ayad Malak Chenouda hatte seit 1959 unter heftigen Asthma-Anfällen gelitten, die noch durch Bronchitis und Sinusitis verschlimmert wurden. Fortwährende Anfälle, sowohl am Tag wie in der Nacht, plagten ihn sehr. Er ließ sich von mehreren Spezialisten untersuchen und nahm verschiedene Mittel ein, die ihm aber nur zeitweise und geringe Erleichterung verschafften. Es wurde ihm endlich geraten, sich einer Phrenicotripsie am Halse, einer klassischen Operation, die nur in den äußersten Fällen angewendet wird, zu unterziehen, aber nicht einmal dieser chirurgische Eingriff konnte seinen Zustand lindern. Die Narbe am Halse war deutlich zu sehen. Es war ihm unmöglich geworden, seinem Beruf nachzugehen. Obwohl er verschiedene, ganz spezifische Medikamente einnahm, litt er weiter unausgesetzt unter Anfällen, die nur für kurze Zeit unterbrochen wurden. Seine Nasenhöhle wurde mehrere Male punktiert. Am 28. April 1968, um vier Uhr früh, sah er die Erscheinung der heiligsten Jungfrau Maria. Von diesem Morgen an war er vollkommen geheilt.

Dr. William Rise, 57 Jahre alt, der seine Universitäts-Kurse an der medizinischen Fakultät von Paris absolviert hatte, litt seit acht Jahren unter hohem Blutdruck, begleitet von einer chronischen Nierenentzündung, die noch durch eine rheumatische Arthritis und Gelenkentzündung derart verkompliziert wurde, daß es ihm unmöglich wurde, sich überhaupt zu bewegen, trotz aller Medikamente, die er aufgrund eigenen Erachtens, sowie durch Ratschläge seiner Kollegen zu sich nahm. Sowohl Röntgenaufnahmen, wie auch Blut- und Urinanalysen erwiesen sich als enttäuschend. Er war Monate hindurch einfach hilflos. – Am 28. Mai 1968 wurde Dr. Rise von seiner Frau zur Kirche in Zeitoun gebracht, wo er Augenzeuge einer Erscheinung Unserer Lieben Frau wurde. Augenblicklich geheilt, konnte er zu Fuß heimkehren. Er fühlte sich wohl, glücklich und war dankbar. Eine gewissenhafte Untersuchung bestätigte dann später seine völlige Wiederherstellung.

Dr. Shafik Abd-el Malek erhielt auch einen großen Gnadenerweis Marias im Mai 1968. Er hatte gerade die Korrektur von 500 Heften bei den Prüfungen in Anatomie und Chirurgie von Kandidaten an der medizinischen Fakultät der Universität zu Ain Shams, innerhalb von 32 Tagen, beendet. Am achtzehnten Tag der mündlichen Prüfungen, die nach diesen Korrekturen vorgenommen wurden, erlitt er ganz plötzlich im Prüfungszimmer der Kasr-el-Aini Universität eine schmerzhafte und akute Blutung der unteren Conjunctiva des linken Auges. Sieben andere Professoren waren auch anwesend, nachdem es vier Prüfungs-Kommissionen gab, mit zwei Professoren für je eine Prüfung. Seine Kollegen hatten die Blutung gesehen. Noch in derselben Nacht begab sich Dr. Malek zur Kirche in Zeitoun. Dort sah er die vogelähnlichen Figuren und erlebte auch den geheimnisvollen Duft des Weihrauches. Seine Gebete wurden sofort erhört und sein Auge lichtete sich augenblicklich. Er konnte die beiden mündlichen Prüfungen an den zwei Fakultäten während der restlichen zwölf Tage fortsetzen. Es hat seitdem keine Wiederholung dieser Störung an seinem Auge gegeben.

3. Die Erscheinung der Heiligen Jungfrau Maria in Kairo-Shoubra

Bericht der Wahrheitsfindungs-Kommission über die Erscheinungen der Heiligen Jungfrau Maria in Kairo-Shoubra verfaßt für die Kirchliche Verwaltung

Am Samstag, den 5. April 1986, berichteten Erzpriester Abdel-Mesih El Shirbini und der Priester Samuel Yonan, Weihpriester an der Heiligen Demiana-Kirche im Papadopolos-Viertel im Terra-El-Boulakia Distrikt im Kairoer Stadtbezirk Shoubra, seiner Heiligkeit Papst Schenouda III. von den Erscheinungen der Heiligen Jungfrau Maria und von anderen Heiligen in der Demiana Kirche.

Diese Erscheinungen wurden erstmals am 25. März 1986 generell gesehen. Seine Heiligkeit Papst Schenouda III. beauftragte den Bischof von Damietta, Anba Paula, sowie Anba Sawirus, den Bischof des El-Meharak Klosters, mit der Besichtigung der Kirche und der Untersuchung der Vorfälle. Daraufhin wachten beide Bischöfe eine Nacht in der Kirche. Anschließend verfaßten beide einen schriftlichen Bericht an seine Heiligkeit. Darin bestätigten sie, die außerordentlichen Erscheinungen persönlich gesehen zu haben und gaben außerdem die Angaben von Kirchenbesuchern wieder, die ebenfalls die Erscheinungen der Heiligen Jungfrau Maria und anderer Heiliger sahen.

Daraufhin ordnete seine Heiligkeit Schenouda III. am 9. April 1986 die Einsetzung einer Wahrheitsfindungs-Kommission zur eingehenden Untersuchung der Vorfälle an.

Noch am selben Abend begab sich die Kommission zur Kirche, blieb die ganze Nacht dort und beobachtete ebenfalls die Erscheinung der Heiligen Jungfrau Maria. Anschließend besuchte die Kommission die Kirche mehrere Male und konnte die Erscheinungen wiederholt erblicken. Diese Erscheinungen waren begleitet von Wunderheilungen an vielen hoffnungslos Kranken. So erlangten Blinde ihre Sehkraft zurück, Kranke mit chronischen Herz- und Nierenleiden wurden ebenso geheilt wie andere Kranke, denen Medikamente vorher keine Hilfe mehr brachten.

Die Erscheinungen der Heiligen Jungfrau Maria in der Heiligen Demiana-Kirche in Terra-El Boulakia in Shoubra waren einzigartig:

1. Die Erscheinungen waren nicht nur nachts sondern auch am hellen Tage.

2. Die Erscheinungen waren nicht nur außen am Kirchturm sichtbar, sondern auch innerhalb der Kirche auf der Ikonostase und auf der Innenseite der Kuppel.

3. Nicht nur die Heilige Maria sondern auch andere Heilige erschienen. Darunter war die Heilige Demiana und vor allen die Erscheinung von Jesus Christus als Kind auf dem Arm seiner Mutter ganz deutlich sichtbar, als am Morgen des Freitags, den 20. Juni 1986, die Messe durch den Erzpriester Daoud Tadros zelebriert wurde, der in der Heiligen-Jungfrau-Kirche in Rod El-Farag Dienst tut und Mitglied des klerikalen Ausschusses ist.

4. Die Erscheinungen dauerten lange Zeit bis zur Abfassung dieses Berichts am Freitag, den 20. Juni 1986.

5. Die Mitglieder der Untersuchungskommission sahen u. a. leuchtende Gestalten, die von Feuerzungen umrahmt waren und in einem prächtigen Licht wandelten.

Anmerkungen

1 Vgl. K. Gamber – Chr. Schaffer, Maria – Ecclesia. Die Gottesmutter im theologischen Verständnis und in den Bildern der frühen Kirche (= 19. Beiheft zu den Studia patristica et liturgica, Regensburg 1987) 18f.; Joh. Auer, Unter deinen Schutz und Schirm. Das älteste Mariengebet der Kirche (Leutesdorf 1987).
2 »Theotokia« (griech. θεοτόκια) wird eine Hymne genannt, die Maria als »Theotokos« (Gottesgebärerin) preist.
3 Vgl. I. B. Carol, Mariology (1955) Vol. I, 51.
4 Vgl. Schaefera Brossart, The Mother of Jesus in the Holy Scriptures, 63f.
5 Psalla (Adam) am Sonntag.
6 Im »Akathistos«-Hymnus, der in den Kirchen der Ostens in der Fastenzeit feierlich gesungen wird.
7 Vgl. Hippolyt, Traditio Apostolica c. 21 (p. 48 ed. Botte).
8 Vgl. J. McHaugh, The Mother of Jesus in the N. T. (New York 1975) 339.
9 Vgl. M. Thurian, Mary. Mother of all Christians (New York) 1964) 32.
10 Proclus, Encomium I,1 (PG 65,716).
11 Irenaeus, Adv. haer. IV 33,11 (PG 7,1080).
12 ibid. IV 33,12 (PG 7,1081).
13 Ambrosius, In Luc II,57 (PL 15,1573).
14 Ephraem der Syrer, Hymnus 3 auf Weihnachten.
15 Cyrillus Alex., Adv. Nest. 1 (PG 76,23).
16 ibid. (PG 76,15–18).
17 Ps.-Gregorius Thaumaturgus, Hom. 1 (PG 10,1151).
18 Joh. Chrysostomus, In Matth. hom. II,2.
19 Theodotus Anc., In sanctam Deiparem, hom. 4.
20 Augustinus, De sacra Virginitate 8 (PL 40,400).
21 Gregorius Nyssenus, De virginitate c. 2 (PG 46,321).
22 Augustinus, Sermo 178,4 (PL 38,1005).
23 Ambrosius, De virginibus I 5,22 (PL 16,195).
24 ibid. II 2,6 (PL 16,208).
25 Vgl. H. Graef, A History of Doctrine and Devotion (London 1963) I/2.
26 Petrus Alex., Fragm. 7 (PG 18,517).
27 Irenaeus, Demonstratio Apostol. praedicationis 54 (Patrologia Orientalis XII,701); Carol, Mariology II,104f.
28 Clemens Alex., Stromata VII,16.
29 Origenes, In Lev. VIII,2 (PG 12,493f.).
30 Origenes, In Matth 25.
31 Athanasius, Contra Arianos II,70.

32 Vgl. J. Quasten, Patrology III,99.
33 Joh. Chrysostomus, Hom. in Matth. IV,3.
34 Gregorius Nyssenus, De virginitate c. 19 (PG 46,396).
35 Hieronymus, Epistola ad Pammachium 49 (48) 21.
36 Hieronymus, Dial. adv. Pelagianos.
37 Augustinus, Enchiridion ad Laurentium 34 (PL 40,249).
38 Explanatio evangel. Concordantiae II 6,8.
39 Zeno Veron., Tract. I 5,3.
40 Theodotus Anc., Auf die Geburt des Erlösers c. 2 (Palmer p. 52).
41 Protoevangelium Iacobi c. 8–9.
42 Vgl. Strack-Billerbeck, Kommentar zum NT (München 1924) II, 377–394.
43 Augustinus, De sacra Virginitate 4 (PL 45,398).
44 Hieronymus, Adv. Helvedium (PL 23,202); Carol, Mariology II, 233.
45 Vgl. McHaugh, The Mother of Jesus, cap. 7.
46 Ägyptischer Papyrus bei: L. Gumbert, Maria im Bild und in der Verehrung der Kopten vor der Begegnung mit dem Islam (= Sonderdruck aus dem Jahrbuch der Deutschen Schule der Borromäerinnen in Kairo – Bab el-Luk, o. J.) 8.
47 Vgl. Oxford Dict. of the Christian Church p. 573.
48 Irenaeus, Adv. haer. I 24,2 (PG 7,674f.).
49 Vgl. Origenes, In Epist. ad Galat. (PG 14,1298).
50 Vgl. Origenes, In Epist. ad Titum (PG 13,1304).
51 Vgl. Oxford Dict. of the Christian Church p. 624.
52 Alexander Alex., Epist. 12 (PG 18,568 C).
53 Athanasius, Or. 2,7 (PG 26,161 B).
54 Or. 2,70 (PG 26,292 B).
55 Or. 3,14 (PG 26,349 C).
56 Vgl. Schwartz, Acta Conciliorum Oecumenicorum I 1,2 p. 102; Palmer, Mary in the Documents of the Church p. 50.
57 Vgl. T. H. Bindly, The Oecumenical Docum. of the Faith (London 1899) 99.
58 Vgl. W. P. Du Bose, The Oecumenical Councils (Edinburgh 1897) Introduction (1).
59 Vgl. Denzinger-Schönmetzer 252–263.
60 Joh. Damascenus, De fide orthodoxa III,12 (PG 94,1029).
61 Gregorius Naz., Epistola 101 (PG 37,117–180).
62 Vgl. René Laurentin, Queen of Heaven (1961) 94.
63 Vgl. McNamara, Mother of the Redeemer, p. 91.
64 Augustinus, Sermo 215,4 (PL 38,1074).
65 Augustinus, De sacra Virginitate 3 (PL 40,398).
66 Vgl. H. Rahner, Our Lady and the Church, p. 72.
67 Origenes, In Exod. 10,4 (De Sargiusga 8,2).
68 Gregorius Nyssenus, De Virginitate c. 2, c. 13 (PG 46,324.380).
69 Augustinus, Sermo 181,4 (PL 38,981).

70 Hieronymus, Epist. ad Eustochium 22,8.
71 Ambrosius, De Virginitate 4,20 (PL 16,271); In Luc. X,25 (PL 15,1810).
72 Gregorius M., In Evangelia I,3 (PL 76,1086).
73 Methodius, Symposium 8,8.
74 Augustinus, De sancta Virginitate 6 (PL 40,399).
75 Augustinus, In nat. S. Joh. B. 5 (PL 38,1319).
76 Gregorius M., In Evangelia II 38,3 (PL 76,1283).
77 Tertullianus, Adv. Marcionem II,4 (PL 2,289).
78 Origenes, In Evang. Ioh. I, praef. 6 (PG 14,32).
79 In einem Fragment bei Victorinus von Pettau, De fabrica mundi (CSEL 49,8); vgl. Carol, Mariology II,88f.
80 Justinus M., Dial. 100 (PG 6,709–712.959.1176).
81 Irenaeus, Adv. haer. III 21,1 (PG 7,946); V 19,1 (PG 7,1176).
82 Tertullianus, De carne Christi 17,5 (PL 2,782).
83 Origines, In Luc. hom. 7, hom. 6 und 8.
84 Zeno, Tract. I 13,10.
85 Ephraem Syrus, In nativ. 35,17.
86 Ephraem, Marienhymnen 19,19.20; vgl. T. J. Lamy, Sancti Ephraem Syri hymni et sermones (Mecheln) II, 621–625; T. Livius, The Blessed Virgin in the Fathers of the First Six Centuries (London 1893) 430f., Palmer 10.
87 ibid. Hymn. 3,30.
88 Ambrosius, Epist. 62,33 (PL 16,1198).
89 Hieronymus, Epist. 22,21 (PL 22,408).
90 Augustinus, Sermo 102.
91 Epiphanius, Panarion III 2,78 (PG 42,728).
92 Gregorius Nyssenus, In Cant. hom. 13 (PG 44,1052).
93 Ambrosius, In Luc II,9 (PL 15,1556).
94 Ephraem, Marienhymnen 18,27; Palmer p. 17.
95 Theodotus Anc., In nativitatem 11 (PG 77,1427).
96 Gesungen beim »Spasmos« (Friedenskuß).
97 Am Schluß des Nachtgebets.
98 Ambrosius, De Virginitate II,7 (PL 16,209).
99 Vgl. M. Thurian, Mothers of all Christians (1964) cap. 2.
100 Theotokia des Sonntags.
101 Vgl. Palmer 33; Carol, Mariology I, 17.
102 Jakob von Sarug (451–521), Gesang auf die Jungfrau Maria, Zeile 60, 138, 143.
103 Vgl. Lamy II,743; Livius, The Blessed Virgin 435.
104 Theotokia für den Donnerstag.
105 Ambrosius, In Luc. II,17 (PL 15,1559).
106 Vgl. W. J. Burghardt, The Testimony of the Patristic Age concerning Mary's death (Maryland 1957) 11.
107 Vgl. K. Rahner, Mother of the Lord, p. 96.
108 Origines, In Matth 10,17 (PG 13,878 A).

109 Vgl. H. Graef, A History of Doctrine and Devotion (London 1963) 50.
110 Athanasius, Brief an die Jungfrauen 89–91.
111 Vgl. C. W. Newmann, The Virgin Mary in the Works of St. Ambrose (Switzerland 1962) 38.
112 Gregorius Naziazenus, Or. XXIV,19 (PG 35,1180 C).
113 Ephraem, Hymne auf Weihnachten 5,5.
114 Cyrillus, Alex., Sermo 4 (PG 77,996).
115 Ambrosius, In Luc II,7 (PL 15,1555); vgl. Gamber – Schaffer, Maria – Ecclesia (oben Anm. 1) 25ff.
116 Augustinus, Sermo 25, De verbis evang. Matth. (PL 46,938).
117 Vgl. Irenaeus, Adv. haer. III 10,2.3 (PG 7,873).
118 Vgl. auch Ambrosius, De inst. Virg. 14,87 (PL 16,326).
119 Ambrosius, In Luc. X,131f. (PL 15,1857).
120 Augustinus, Sermo 25,8.
121 Vgl. M. Thurian, Mary 59.
122 Vgl. Hippolyt, Segensspruch des Moses 15.
123 Vgl. Carol, Mariology I, 411f.
124 Vgl. F. Zorell, Was bedeutet der Name Maria?, in: Zeitschrift für kathol. Theol. 30 (1906) 356–360.
125 Vgl. J. Levy, Neuhebräisches und chaldäisches Wörterbuch (Leipzig 1876/89) siehe unter »Merur«.
126 Epiphanius, Panarion 78,23; vgl. L. Heiser, Maria in der Christus-Verkündigung des orthodoxen Kirchenjahres (Trier 1981) 298.
127 Ambrosius, De Spiritu Sancto 3,79f. (PL 16,795).
128 Vgl. A.-Th. Kühnis, Die Gottesmutter vom unverbrennbaren Dornbusch (Fluhegg 1986).
129 Theotokia vom Donnerstag.
130 Theodor von Alex., Das Sterben Mariens 6,18.
131 Vgl. Fr. T. Malaty, Christ in the Eucharist (Alexandria 1973) 488–493.
132 Vgl. Chr. Schaffer, Gott der Herr – er ist uns erschienen (= 7. Beiheft zu den Studia patristica et liturgica, Regensburg 1982); hier auch Farbtafel III (Christi-Geburt-Bild in Faras, Nubien) und Weihnachtsbild auf der Kirchentür von Abu Sarga (Alt-Kairo) aus dem 11. Jahrhundert (Abb. 18).
133 Vgl. auch Chr. Schaffer, Koimesis. Das Entschlafungsbild in seiner Abhängigkeit von Legende und Theologie (= Studia patristica et liturgica 15, Regensburg 1985) 47ff.
134 Germanus von Konst., Über das Sterben der Theotokos (PG 98,345 B).
135 Augustinus, In Joh. Ev. 8,9.
136 Vgl. Burghardt, The Testimony 15.